The Open

Environnement

Envol

Upper intermediate French

4

This publication forms part of an Open University course L211 *Envol*: upper intermediate French. Details of this and other Open University courses can be obtained from the Student Registration and Enquiry Service, The Open University, PO Box 197, Milton Keynes MK7 6BJ, United Kingdom : tel. +44 (0)845 300 60 90, email general-enquiries@open.ac.uk

Alternatively, you may visit the Open University website at www.open.ac.uk where you can learn more about the wide range of courses and packs offered at all levels by The Open University.

To purchase a selection of Open University course materials visit www.ouw.co.uk, or contact Open University Worldwide, Walton Hall, Milton Keynes MK7 6AA, United Kingdom for a brochure. tel. +44 (0)1908 858793; fax +44 (0)1908 858787; email ouw-customer-services@open.ac.uk

The Open University
Walton Hall, Milton Keynes
MK7 6AA

First published 2009.

Edited and designed by The Open University.

Typeset by The Open University.

Printed and bound in the United Kingdom by Latimer Trend & Company Ltd, Plymouth.

ISBN 978 0 7492 1745 7

1.1

FSC
Mixed Sources
Product group from well-managed
forests and other controlled sources
Cert no. SGS-COC-005493
www.fsc.org
© 1996 Forest Stewardship Council

The paper used in this publication contains pulp sourced from forests independently certified to the Forest Stewardship Council (FSC) principles and criteria. Chain of custody certification allows the pulp from these forests to be tracked to the end use (see www.fsc.org).

Table des matières

Introduction   5

Sommaire   6

Session 1   Questions d'environnement   **7**
Le Vercors   8
La préservation du patrimoine   13
L'or blanc   18

Session 2   Environnement et économie   **26**
Avions et pollution   27
Les nouveaux aéroports   34
Regards croisés   40

Session 3   Les bons gestes   **44**
Transports écologiques   45
Villes propres   50
Le recyclage tous azimuts   56

Session 4   L'environnement à grande échelle   **61**
Tout au bout, la plage   62
De la concertation à l'action   69
Applications : les énergies renouvelables   71

Session 5   Révision   **76**

Corrigés   **77**

L211 Course team

Central course team

Sue Brennan (course team secretary)

Xavière Hassan (author, coordinator, co-chair)

Marie-Noëlle Lamy (author, coordinator)

Tim Lewis (author, coordinator, co-chair)

Françoise Parent-Ugochukwu (author)

Hélène Pulker (author, coordinator)

Shirley Scripps (course manager)

Elodie Vialleton (author, coordinator)

Course production team

Mandy Anton (graphic designer)

Guy Barrett (interactive media developer)

Catherine Bedford (editor)

Lene Connolly (print buying controller)

Sue Dobson (graphic artist)

Beccy Dresden (media project manager)

Kim Dulson (assistant print buyer)

Vee Fallon (media assistant)

Elaine Haviland (editor)

Sarah Hofton (graphic designer)

Neil Mitchell (graphic designer)

Sne Padhya (media assistant)

Sam Thorne (editor)

Nicola Tolcher (media assistant)

Susanne Umerski (media assistant)

Critical reader (Unit 4)

Elspeth Broady

External assessor

Nicole McBride (London Metropolitan University)

Audio-visual production

Audio and video sequences produced by Autonomy Multimedia and Mediadrome for Learning and Teaching Solutions (Open University).

Original L211 audio and video sequences compiled and produced by the BBC.

Special thanks

The course team would like to thank everyone who contributed to the course by being filmed or recorded, or by providing photographs.

The course team would also like to acknowledge the authors and consultant authors of the first edition of L211 : Bernard Haezewindt, Stella Hurd, Marie-Noëlle Lamy, Hélène Mulphin, Jenny Ollerenshaw, Duncan Sidwell, Pete Smith, Anne Stevens, Peregrine Stevenson (authors); Martyn Bird, Marie-Thérèse Bougard, Chloë Gallien, Marie-Marthe Gervais-Le Garff, Christie Price, Peter Read, Yvan Tardy (consultant authors).

Environnement

L'environnement est au cœur de cette
unité. D'abord vous allez vous concentrer
sur le patrimoine naturel, en traitant des
sujets comme le parc naturel régional
du Vercors et l'impact du ski d'hiver sur
l'environnement de montagne. Puis vous
étudierez les relations entre l'économie
et l'environnement, en abordant les
questions difficiles soulevées par le
développement des transports aériens.
En matière d'aviation, vous allez pouvoir
comparer les attitudes de deux publics :
français et africain. Ensuite, vous porterez
votre attention sur les gestes simples
que peuvent faire les gens dans leur vie
quotidienne pour protéger la planète et
lutter contre le réchauffement climatique.
Finalement, vous retournerez à des thèmes
globaux : l'état des océans et le rôle des
énergies renouvelables.

Unité 4

Sommaire

Le tableau ci-dessous présente la structure des sessions qui composent ce livre. La colonne de gauche indique le contenu thématique et la colonne de droite énumère les points clés de chaque session.

Unité 4   Environnement

Session 1   Questions d'environnement

Le Vercors	• L'usage et la formation de l'impératif
La préservation du patrimoine	• L'usage de l'infinitif dans les instructions
L'or blanc	• Les mots « courriel » et « email »
	• La grande peur du loup
	• Rédiger un courriel en respectant la « nétiquette »

Session 2   Environnement et économie

Avions et pollution	• Les temps du futur
Les nouveaux aéroports	• L'utilisation du futur dans les phrases avec « si » et avec « quand »
Regards croisés	• Le discours indirect au présent
	• Les Français et l'avion
	• La paraphrase
	• Marquer les étapes d'une argumentation

Session 3   Les bons gestes

Transports écologiques	• Les pronoms relatifs composés
Villes propres	• Utiliser le présent pour raconter au passé
Le recyclage tous azimuts	• Transports publics : tradition et innovation
	• Recyclage : à l'écoute de l'Europe
	• Le retour du cabas
	• Les niveaux de langue

Session 4   L'environnement à grande échelle

Tout au bout, la plage	• Le plus-que-parfait
De la concertation à l'action	• L'expression de l'ordre avec un nom ou un adjectif
Applications : les énergies renouvelables	• De Kyoto à Grenelle
	• les énergies renouvelables
	• Les expressions imagées – comparaison et métaphore

Session 5   Révision

Session 1 Questions d'environnement

La montagne est aujourd'hui menacée à la fois par le réchauffement climatique et par la désertification. Cette première session va vous permettre de faire connaissance avec le plateau du Vercors, situé en région Rhône-Alpes, au sud-est de la France. Vous y verrez comment le monde agricole et l'industrie du tourisme répondent aux défis du climat et à la nécessité de protéger l'environnement. Agriculteurs, municipalités et associations offrent aux citadins l'occasion de découvrir la montagne et d'apprendre à la respecter. Les stations de ski se reconvertissent peu à peu, répondant à une demande de services aujourd'hui répartie sur toute l'année. Les activités qui suivent vont vous permettre de produire des textes courts, tout en vous familiarisant avec le vocabulaire de la montagne.

Points clés

- G4.1 L'usage et la formation de l'impératif

- G4.2 L'usage de l'infinitif dans les instructions

- C4.1 Les mots « courriel » et « email »

- C4.2 La grande peur du loup

- O4.1 Rédiger un courriel en respectant la « nétiquette »

Le Vercors

La première partie de cette session va vous permettre de faire connaissance avec le plateau du Vercors (voir plan ci-contre), de rencontrer des associations et de voir comment la région s'adapte au changement climatique. Ce sera l'occasion de vous familiariser avec le vocabulaire de l'environnement et d'écrire des courriels.

Activité 4.1.1

A

Regardez les photos suivantes et choisissez la phrase ci-dessous qui convient à chacune.

1

2

3

4

5

(a) Les hivers du Vercors sont longs et enneigés.

(b) C'est un espace favorable aux loisirs sportifs.

(c) Les villages sont au pied de la montagne.

(d) L'élevage laitier est important dans la région.

(e) La flore du plateau est riche et variée.

B

Laquelle de ces photos vous semble le mieux représenter l'environnement de montagne ? Dites pourquoi en 80–100 mots environ.

Le parc régional du Vercors

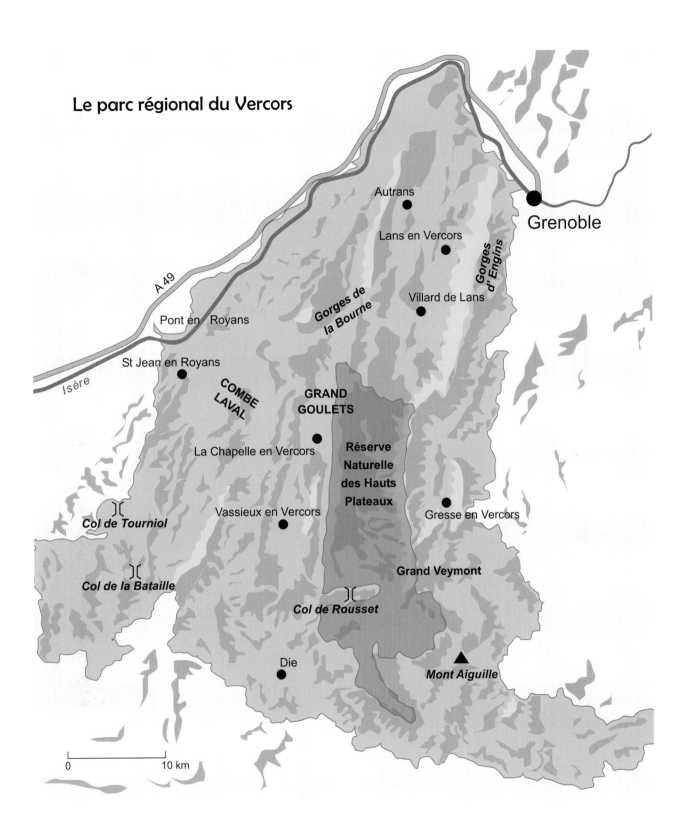

Grenoble

Autrans

Lans en Vercors

Villard de Lans

Gorges d'Engins

Gorges de la Bourne

A 49

Pont en Royans

Isère

St Jean en Royans

COMBE LAVAL

GRAND GOULETS

La Chapelle en Vercors

Réserve Naturelle des Hauts Plateaux

Col de Tourniol

Vassieux en Vercors

Gresse en Vercors

Col de la Bataille

Grand Veymont

Col de Rousset

Die

Mont Aiguille

0   10 km

Activité 4.1.2

A

Lisez le texte suivant et choisissez la bonne définition qui correspond aux expressions 1 à 4 ci-dessous.

Le Vercors est un massif montagneux entouré de falaises abruptes qui en font une véritable forteresse naturelle. Il a été officiellement classé parc naturel régional le 16 octobre 1970 dans un triple but : concilier la protection du patrimoine naturel et culturel avec le développement économique ; offrir un espace favorable à la détente et aux loisirs sportifs ; promouvoir les activités culturelles, scientifiques et touristiques sur ce territoire. Le parc intervient dans les domaines de la gestion des espaces naturels, des espèces, de l'agriculture, de l'artisanat et du tourisme. Créée en 1985, la réserve naturelle des Hauts plateaux du Vercors demeure actuellement la plus grande réserve naturelle de France.

Après une période d'intense exode rural, de la fin du dix-neuvième siècle jusqu'à ces dernières années, la plupart des villages du Vercors sont parvenus à stabiliser leur population grâce aux activités touristiques. Ils accueillent aujourd'hui de nombreux néoruraux travaillant dans la plaine et voient souvent leur population tripler durant la saison hivernale. Les activités principales du massif sont encore l'élevage de moutons et de chèvres, l'exploitation des forêts, la culture des céréales, des noix, du tabac et de la vigne. L'activité industrielle, qui a toujours été faible, se concentre surtout sur l'artisanat, l'industrie textile, le bâtiment et les technologies de la communication. Mais le Vercors s'est profondément modifié depuis cinquante ans. Une agriculture recomposée et un tourisme vert participent aujourd'hui activement à l'initiation du public aux questions d'environnement.

(Adapté de Parc naturel régional de Vercors, http://www.parc-du-vercors.fr/parc/accueil.html, dernier accès le 4 août 2008)

1   Une forteresse naturelle, c'est :

(a) un endroit imposant et inaccessible ☐

(b) un château ☐

(c) un engin de guerre ☐

2   L'exode rural, c'est :

(a) le départ des agriculteurs pour les champs ☐

(b) le départ des troupeaux pour les alpages ☐

(c) le départ des villageois pour la ville ☐

3   Des néoruraux, ce sont :

(a) des citadins qui sont nés à la campagne ☐

(b) des citadins qui rêvent de s'installer à la campagne ☐

(c) des citadins qui viennent s'installer à la campagne ☐

4   Une agriculture recomposée, c'est une agriculture :

(a) traditionnelle ☐

(b) réorganisée ☐

(c) offrant une variété de produits ☐

B

Relisez le texte et cochez, dans la liste suivante, les objectifs du parc naturel régional du Vercors.

1 Faire classer le Vercors comme parc naturel ☐

2 Développer l'économie tout en protégeant le patrimoine naturel ☐

3 Encourager les loisirs et les sports ☐

4 Développer les secteurs de la culture et du tourisme ☐

5 Limiter le phénomène de néoruralité ☐

6 Relancer l'élevage de bovins ☐

C

Regardez la photo ci-dessous et imaginez son contexte. Expliquez en 40–60 mots ce que fait le personnage et pourquoi.

Les activités suivantes vont vous permettre d'apprécier le rôle des associations dans l'initiation du public à la protection des milieux naturels tout en apprenant à rédiger des courriels.

Activité 4.1.3 _____

A

Lisez le texte ci-dessous et cochez parmi les phrases au verso celles qui d'après le texte sont vraies. Corrigez ensuite celles qui sont fausses.

Vercors Initiation Environnement est une association loi 1901 créée en 1987 par la Fédération des Amis et Usagers du Parc (FAUP) et le Parc Naturel Régional du Vercors.

L'association a pour mission d'informer et de former les différents publics à la connaissance du patrimoine naturel et culturel en vue de sa protection et notamment de sa prise en compte dans les politiques d'aménagement et de développement local. Pour mener ses actions de sensibilisation en matière de découverte de la nature et de protection de l'environnement, l'association dispose d'une équipe de personnes qualifiées, d'un bureau et d'un Conseil d'Administration constitués d'acteurs du Vercors d'origine variée contribuant pleinement à sa vitalité et à l'orientation de ses actions.

L'association a obtenu le label Centre Permanent d'Initiatives pour l'Environnement Vercors (CPIE Vercors). Ce label est discerné par l'Union nationale des CPIE, reconnue d'utilité publique.

Organisés en véritable réseau national, les 78 CPIE sont des associations au service d'une gestion humaniste de l'environnement. Ils contribuent à créer des comportements respectueux de notre cadre de vie à travers la sensibilisation, la formation, la recherche et le développement de projets locaux. Médiateurs et assembleurs de compétences, les CPIE agissent en partenariat avec l'ensemble des acteurs de leur territoire dans un souci de développement durable. [...]

(Adapté de Vercors Initiation Environnement/ CPIE, http://www.parc-du-vercors.fr/CPIE/ index.html, dernier accès le 14 juillet 2008)

Vocabulaire

usagers (m.pl.) ceux qui utilisent un lieu, un équipement

prise (f.) en compte intégration

acteur (m.) participant

Note culturelle

association loi 1901 Certaines associations, très nombreuses en France, sont régies par la loi du 1 juillet 1901 qui définit l'association comme « la convention par laquelle deux ou plusieurs personnes mettent en commun, d'une façon permanente, leurs connaissances ou leurs activités dans un but autre que de partager des bénéfices ».

		Vrai	Faux
1	L'association aide le public à mieux connaître le patrimoine naturel du parc.	☐	☐
2	L'association organise des actions de sensibilisation à la protection de l'environnement.	☐	☐
3	Les personnes qui y travaillent n'ont pas de qualifications.	☐	☐
4	Le CPIE Vercors contribue à créer des comportements respectueux du cadre de vie.	☐	☐
5	Le but de l'association est avant tout commercial.	☐	☐

B

Associez les exemples (a) à (j) ci-dessous aux quatre thèmes correspondants, que vous avez rencontrés dans le texte.

1 Le patrimoine naturel

2 Les comportements respectueux de notre cadre de vie

3 Les actions de sensibilisation

4 Le développement durable

(a) la protection de la biodiversité

(b) le recyclage

(c) le littoral

(d) les campagnes publicitaires écologiques

(e) les paysages

(f) le compostage

(g) le commerce équitable

(h) la formation dans les écoles

(i) le tourisme vert

(j) le tri des déchets

C

Vous êtes membre de Vercors Initiation Environnement. Écrivez un texte de 120–140 mots environ dans lequel vous donnerez deux ou trois exemples d'actions pratiques que vous pourriez lancer pour sensibiliser le public à la nature et à l'environnement.

La préservation du patrimoine

Dans la perspective du développement durable, le parc régional du Vercors a pris conscience de la nécessité de préserver le patrimoine naturel qui fait sa richesse : la moyenne montagne, sa faune et sa flore. Ce sera l'occasion de voir le rôle du bénévolat dans la conservation du parc, et d'enrichir votre vocabulaire.

Les activités suivantes vont vous permettre de découvrir le travail de l'association À Pas de Loup. Cette organisation, spécialisée dans l'écovolontariat, a pour mission la protection du patrimoine naturel et en particulier de la biodiversité animale et végétale.

Activité 4.1.4

A

L'association À Pas de Loup vient de recevoir deux messages de personnes se proposant comme formateurs bénévoles pour un stage d'initiation à la flore du Vercors. Lisez-les, et relevez dans les textes les éléments qui vous indiquent que vous lisez des courriels et non pas des lettres formelles.

1

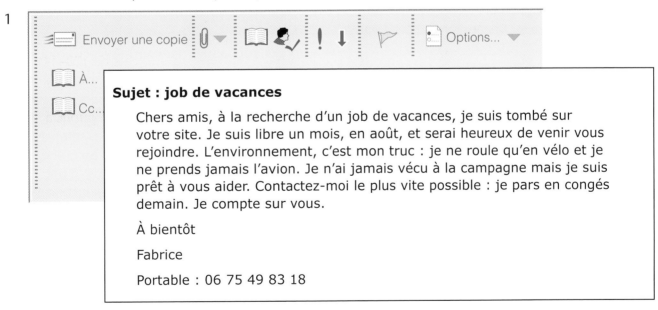

Sujet : job de vacances

Chers amis, à la recherche d'un job de vacances, je suis tombé sur votre site. Je suis libre un mois, en août, et serai heureux de venir vous rejoindre. L'environnement, c'est mon truc : je ne roule qu'en vélo et je ne prends jamais l'avion. Je n'ai jamais vécu à la campagne mais je suis prêt à vous aider. Contactez-moi le plus vite possible : je pars en congés demain. Je compte sur vous.

À bientôt

Fabrice

Portable : 06 75 49 83 18

2

Sujet : votre offre de stage d'été

Madame, Monsieur, Étudiante en agronomie forestière, je m'adresse à vous au sujet des stages offerts sur votre site Internet. Disponible en juillet-août, je serais heureuse de pouvoir participer à l'accueil du public en Vercors. J'aime travailler en équipe et vivre en plein air, j'ai déjà fait une formation à l'écologie et ce stage serait l'occasion de partager mes compétences et d'en acquérir de nouvelles. N'hésitez pas à me contacter pour plus de détails.

Bien à vous

Sandrine Van Eyck

Mél : svaneyck@freesurf.fr

B

Relisez les deux courriels et identifiez celui qui vous semble le plus capable d'éliciter une réponse positive de votre part. Expliquez pourquoi en 70–90 mots.

C4.1 Les mots « courriel » et « email »

Le débat sur la terminologie correcte pour parler du courrier électronique est constant en France. Le terme « courrier électronique » est le plus formel, mais il est un peu long. L'Académie française recommande le mot « courriel », mot-valise formé au Québec à partir de « courrier » et « électronique ». L'utilisation de ce mot est obligatoire dans l'administration depuis qu'il a été publié dans le *Journal officiel de la République française* le 20 juin 2003. En pratique, bien des Français utilisent aussi le mot anglais « email », notamment sur l'Internet. Ce mot figure dans deux dictionnaires de la langue française, mais il y est signalé comme anglicisme. À l'écrit, le mot « mél », qui est l'abréviation de « messagerie électronique », a un emploi très restreint : sur les cartes de visite, par exemple, c'est l'équivalent, pour une adresse électronique, de l'abréviation « tél. » pour le téléphone.

O4.1 Rédiger un courriel en respectant la « nétiquette »

La « nétiquette » est un ensemble de règles de politesse qui guident le comportement des internautes sur le réseau, notamment lors des échanges par courrier électronique. Elles leur permettent de vivre en harmonie dans le cyberespace.

Voici quelques principes pour vous aider à écrire un courriel en français, sans offenser votre destinataire. Évidemment, on n'écrit pas de la même façon à un copain, à un collègue, à un supérieur, ou à un inconnu. Les principes ci-dessous conviennent à un contexte professionnel.

Indiquez clairement le sujet du courriel. Ne traitez que d'un sujet à la fois. Assurez-vous que le sujet indiqué correspond au contenu du courriel.

Commencez votre message par un simple « Bonjour » suivi par le prénom du destinataire, si vous le connaissez. Si votre correspondant vous est inconnu, mettez « Madame, Monsieur ».

Terminez votre message par une formule simple mais polie : « bien à vous, cordialement, à bientôt » (si vous allez rencontrer la personne concernée).

Évitez d'utiliser les majuscules, sauf au début des phrases et des noms. Mettre un mot ou un texte en majuscules équivaut à CRIER.

Rédigez des messages clairs, brefs et bien structurés. Respectez les règles d'orthographe et de grammaire. N'hésitez pas à les vérifier en utilisant les outils de correction de votre logiciel de messagerie.

Signez toujours le courriel, pour vous identifier clairement. Si vous utilisez une signature électronique, elle ne devra pas excéder quatre lignes.

N'envoyez jamais de document attaché non sollicité. Évitez d'envoyez des documents attachés d'un poids excessif.

Un courriel est aussi confidentiel qu'une carte postale. N'envoyez jamais d'information personnelle par courriel (en particulier, votre numéro de carte bancaire, vos codes secrets ou mots de passe).

Activité 4.1.5

Rédigez un courriel de 100–120 mots, destiné aux bénévoles attendus pour les stages d'été de l'association À Pas de Loup dans lequel vous leur donnerez des indications sur les points suivants :

- vêtements à emporter (bottes, imperméable, paire de baskets, gilet, etc.) ;
- objets à emporter (papiers d'identité, invitation, paire de jumelles, etc.) ;
- météo et température dans le Vercors.

Veillez à respecter les conventions indiquées dans la boîte à outils O4.1.

Activité 4.1.6

A

Le nouveau stagiaire a bien du mal à établir une liste replaçant les animaux dans leur espèce. Aidez-le, en utilisant si nécessaire votre dictionnaire.

1	loup	(a)	ovidés
2	brebis	(b)	capridés
3	chat sauvage	(c)	canidés
4	bœuf	(d)	félidés
5	chèvre	(e)	bovidés

B

Lisez le texte ci-dessous et faites correspondre les mots qui suivent à leur bonne définition.

Loupastres – Des bénévoles pour les bergers et les loups

Quel est le contexte ? Les éleveurs ovins français sont toujours opposés à la présence des loups revenus depuis peu. Certains ont pris des mesures de prévention (chiens de garde, parcs de regroupement des troupeaux pour la nuit, bergers et aide-bergers...) ; d'autres n'ont pas la volonté ou la chance de bénéficier des aides gouvernementales et n'ont pas l'argent pour se protéger suffisamment de l'attaque des canidés.

Quelle action ? Il s'agit pour À Pas de Loup :

1 de soutenir des petits éleveurs ou bergers prenant des mesures de prévention ;

2 de favoriser ainsi l'acceptation du loup en France ;

3 d'entretenir le dialogue entre les citadins « écolos » et le monde agri-pastoral. [...]

Et moi ? Les bénévoles découvrent la problématique loup/pastoralisme sous l'angle théorique et pratique ; ils assistent les bergers sur l'alpage en surveillant les troupeaux afin d'améliorer les roulements de garde et en participant à toutes les tâches annexes : montage des parcs, entretien, débroussaillage.

Quand ? De juin à novembre. Chantier-stage de formation obligatoire pour les néophytes du 27 juin au 6 juillet [...] (pastoralisme, rencontre avec les éleveurs et bergers, écologie montagnarde et des grands prédateurs) et estives de 2 semaines minimum. Possibilité de faire uniquement le chantier, ou uniquement l'estive si vous avez une expérience antérieure. [...]

(À Pas de Loup, *Écovolontariat en France, Mammifère : Loupastres – Des bénévoles pour les bergers et les loups*, http://www.apasdeloup. org/1-france/mammiferes/berger.htm, dernier accès le 14 juillet 2008)

1	agri-pastoral	(a)	les pâturages d'été, en montagne
2	les écolos	(b)	désigne un terrain utilisé pour les cultures et l'élevage
3	l'alpage/les estives	(c)	les débutants
4	les roulements de garde	(d)	les partisans de la protection de la nature
5	le débroussaillage	(e)	la surveillance assurée à tour de rôle par plusieurs personnes
6	les néophytes	(f)	l'élimination des buissons sauvages d'un terrain

C

Lisez le texte suivant, et parmi les cinq objectifs ci-contre, cochez ceux qui correspondent à ce chantier.

Protection du tétras-lyre

Quel est le contexte ? Depuis quelques années les effectifs de tétras-lyre stagnent, voire, régressent dans cette région et la zone de présence des oiseaux aurait tendance à se réduire. Le facteur limitant paraît être le manque de couvert végétal de 0 à 1 m.

Quelle action ? Il s'agit d'ouvrir le milieu forestier ou entretenir les zones ouvertes à strate herbacée basse, favorable au tétras-lyre.

Et moi ? Les volontaires ramassent et entassent les branchages des arbres coupés par les ouvriers de l'ONF et parfois arrachent de jeunes pousses. Ils participent aussi à l'entretien d'une prairie. Pour comprendre l'intérêt du chantier et la richesse du milieu, des balades naturalistes sont organisées dans les environs sur des thèmes variés (botanique, ornithologie, faune, etc.).

Quand ? Du 9 au 23 août [...].

(À Pas de Loup, *Écovolontariat en France, Environnement : Protection du tétras-lyre et entretien d'un ruisseau dans le Vercors*, http://www.apasdeloup.org/1-france/envnt/vercors_ruisseau.htm, dernier accès le 14 juillet 2008)

Vocabulaire

tétras-lyre (m.)   petit coq de bruyère

strate herbacée   prairie

ONF   Office national de la forêt

1   Protéger la faune et la flore ☐

2   Former le public ☐

3   Découvrir les sciences et la nature ☐

4   Favoriser l'entente entre écologistes et agriculteurs ☐

5   Conserver le parc ☐

D

Relisez les deux textes ci-dessus et dites lequel de ces deux chantiers vous semble le plus bénéfique à l'environnement. Expliquez pourquoi en 200 mots, en faisant référence aux objectifs environnementaux. Dans votre réponse, dites si vous seriez prêt à vous lancer dans ce projet en tant que bénévole et pourquoi.

C4.2   La grande peur du loup

Au Moyen Âge, la forêt couvre une grande partie de la France et les loups y sont nombreux. En période de famine, ils s'approchent des pâturages, descendent vers les villages et attaquent chèvres, moutons et bergers. La peur du loup est alors très répandue et la croyance populaire associe cet animal au diable et au mal, comme en témoignent les contes populaires oraux et des contes écrits comme *Le petit chaperon rouge* ou *Les trois petits cochons*. Entre le 30 juin 1764 et le 19 juin 1767, un animal non identifié, la Bête du Gévaudan, fait des ravages dans les Cévennes et fait encore grandir la peur du loup. De cette grande peur ancestrale, il reste de nombreuses expressions et idiomes dans la langue :

- marcher à pas de loup – marcher sans faire de bruit
- avoir une faim de loup – avoir une très grosse faim
- entre chien et loup – à la tombée de la nuit
- crier au loup – faire semblant d'être en danger
- se jeter dans la gueule du loup – s'exposer de sa propre initiative à un grand danger
- hurler avec les loups – se joindre aux autres pour critiquer

- être connu comme le loup blanc – être connu de tout le monde

- à la queue leu leu – à la file, à la suite les uns des autres (« leu » est la forme ancienne de loup qui subsistera jusqu'au XVIᵉ siècle)

Le loup est aussi entré dans des adages comme :

- la faim fait sortir le loup du bois – *needs must (when the devil drives)*

- les loups ne se mangent pas entre eux – *(there is) honour among thieves*

- l'homme est un loup pour l'homme – *dog eat dog/brother will turn on brother*

Le dernier loup « français » a été tué vers 1939. Depuis 1990, dans le cadre de la protection de l'environnement, plusieurs espèces animales ont été réintroduites sur le territoire français, dont l'ours et le loup. Depuis 1996, le loup est protégé par la loi et les éleveurs d'ovins ont fort à faire pour le tenir éloigné des troupeaux.

L'or blanc

Le Vercors souffre des effets du réchauffement climatique et, ces dernières années, l'enneigement y a souvent été insuffisant. Cette situation menace le tourisme hivernal mais surtout l'environnement, du fait des nouvelles techniques d'enneigement adoptées. Les activités suivantes seront l'occasion de revoir le vocabulaire de la neige et de pratiquer l'impératif.

Activité 4.1.7 —————————————

A

Lisez le blog ci-dessous et dites si la décision dont il traite a été prise pour des raisons économiques ou environnementales.

Le mirage de l'or blanc

Posté mardi 24 janvier 2006 | Environnement et Aménagement du territoire | auteur : Hubert Aude | commentaires (6)

Ça y est, la commune d'Autrans a choisi de se lancer à son tour dans la fuite en avant. Opportuniste comme toujours, ne pouvant obtenir de subventions pour des canons à neige, la commune a choisi la filière de la carrière à neige (subventionnable) pour enneiger le site de Gèves.

Le projet a vu la création d'un lac de 18 000 mètres cubes en bordure de la clairière. Ce lac a été rempli d'eau potable qui fut ensuite transformée artificiellement en neige.

À l'heure où le ski de fond connaît une baisse de fréquentation générale, la neige artificielle semble donc être le miracle qui va faire revenir les skieurs vers les pistes. Le marketing qui semble commander aux stratégies des stations nous incite à penser que la solution ne passe que par le kilométrage proposé et garanti par l'« assurance neige » que représente l'enneigement artificiel, pour qui rien n'est trop beau ou trop cher.

Les arguments environnementaux ne font pas le poids face à une telle logique d'exploitation de ces paradis artificiels. Le Vercors est un pays où l'eau ne coule pas à flots. Ce bienfait de la nature n'est pas inépuisable, loin s'en faut. Fabriquer de la neige artificielle génère une augmentation conséquente des besoins en énergie, un épuisement des ressources en eau, avec les conflits d'usage qui vont en découler, des atteintes au milieu et au paysage, une pollution des sols. Des pénuries sont déjà apparues suite au pompage à outrance : dans le Champsaur en 2002, dans les Pyrénées en 2004. Même les « grandes » peuvent manquer d'eau : Megève et le Grand Bornand en 2005.

Voici quelques questions que l'on peut se poser à propos de la décision subite et unilatérale de lancer Autrans dans cette course aux armements alors qu'elle concerne des débats citoyens très actuels : économie durable, préservation des espaces, déclin du ski de fond, démocratie locale. Réveillons-nous, réveillez-vous, il n'est pas inéluctable d'aller dans le mur. Nous pouvons parler, échanger, soupeser, débattre, agir. Essayons d'être de vrais citoyens. Ce Vercors que l'on aime est un bien commun, ne fermons pas les yeux sur de tels projets ! Remuons-nous !

(Adapté de Hubert Aude, « Le mirage de l'or blanc à Autrans », *Vercors Blog-en-Ville*, 24 janvier 2006, http://vercors.blogenville.com/vercors/commentaires547-le-mirage-de-lor-blanc-a-Autrans.html, dernier accès le 27 août 2008)

Vocabulaire

des canons (m.pl.) à neige   technique d'enneigement artificiel par laquelle un mélange eau/air est propulsé de canons, sous pression, et cristallise en neige grâce au froid hivernal

la carrière à neige   autre technique d'enneigement artificiel

augmentation conséquente   augmentation importante

des débats citoyens   discussions démocratiques et responsables

Note culturelle

la commune   la plus petite et la plus ancienne subdivision administrative française

B

Trouvez dans le texte les équivalents aux locutions qui figurent en gras dans les phrases ci-dessous.

1   La commune a choisi de se lancer **dans un processus dangereux qu'elle ne peut contrôler.**

2   Les arguments environnementaux **n'ont pas beaucoup d'influence.**

3   L'eau ne coule pas **abondamment** ; l'eau n'est pas inépuisable, **bien au contraire.**

4   Des pénuries d'eau sont déjà apparues suite au pompage **excessif.**

5   Il n'est pas inéluctable de **se tromper.**

C

Relisez le texte et cochez parmi les affirmations ci-dessous celles qui sont vraies ; corrigez celles qui sont fausses.

		Vrai	Faux
1	L'enneigement artificiel est un remède au réchauffement climatique.	☐	☐
2	Il représente une sorte d'« assurance neige » pour les stations de ski.	☐	☐
3	Le texte mentionne trois techniques d'enneigement artificiel.	☐	☐
4	Le Vercors risque de manquer d'eau dans l'avenir.	☐	☐
5	Fabriquer de la neige artificielle protège les sols et les ressources en eau.	☐	☐

D

Répondez aux questions suivantes.

1   Pourquoi la commune d'Autrans a-t-elle préféré la construction d'une carrière à neige à des canons à neige ?

2   Quelle est la situation actuelle du ski de fond en France ?

3   Selon les experts du marketing, que faut-il pouvoir garantir, pour attirer les visiteurs dans une station de ski ?

4   Selon l'auteur, quelle est la situation du Vercors, en ce qui concerne l'approvisionnement en eau ?

5   Qui a été consulté sur la décision prise par la commune, selon l'auteur ?

E

Faites la liste des avantages et des inconvénients de l'enneigement artificiel.

Avantages	Inconvénients

F

Dans les phrases suivantes, identifiez les verbes qui interpellent directement les lecteurs.

> Réveillons-nous, réveillez-vous, il n'est pas inéluctable d'aller dans le mur. Nous pouvons parler, échanger, soupeser, débattre, agir. Essayons d'être de vrais citoyens [...]. Ce Vercors que l'on aime est un bien commun, ne fermons pas les yeux sur de tels projets ! Remuons-nous !

G4.1   L'usage et la formation de l'impératif

Dans le texte que vous venez de lire, on interpelle le lecteur grâce à une forme verbale qu'on appelle l'impératif :

> **Ne fermons pas** les yeux ! **Remuons-nous !**

On se sert de l'impératif pour donner un ordre, ou encourager autrui à une action :

> **Écoute** l'extrait audio ! **Écoute-le !**

> **Remuons-nous ! Agissons !**

> **Aie** confiance en toi !

> **Ne laissez pas** les loups s'approcher !

À l'impératif, il existe trois personnes : « tu », « nous » et « vous ». L'impératif est formé à partir du présent de l'indicatif, en omettant le pronom personnel sujet. Exemple :

> **Nous faisons** la vaisselle. (indicatif présent)

> → **Faisons** la vaisselle ! (impératif)

> **Vous prenez** à droite après le croisement.

> → **Prenez** à droite après le croisement !

Attention, l'impératif des verbes en « -er » ne prend pas de « s » à la deuxième personne du singulier :

> **Tu essaies** d'être un bon citoyen.

> → **Essaie** d'être un bon citoyen !

L'impératif des verbes pronominaux comme « se lever, se remuer, se dépêcher », etc. se construit de la même façon. Cependant, le pronom personnel objet : « te, nous, vous » se place après le verbe :

> Nous **nous** remuons. (indicatif présent)

> → Remuons-**nous** ! (impératif)

Vous **vous** dépêchez.

→ Dépêchez-**vous** !

Attention : le pronom « te » devient « toi »

Tu **te** lèves

→ Lève-**toi** !

À la forme négative, l'impératif se construit sur le modèle suivant :

Ne fermons pas les yeux !

Ne gaspillez pas l'eau !

Ne polluons plus les sols !

Ne cueille jamais les fleurs sauvages !

Notez la place des pronoms objets (direct et indirect) avec un verbe à l'impératif :

1   Après le verbe à la forme affirmative :

La salade est excellente, mange-**la** !

Cette eau minérale est très fraiche, buvez-**en** !

Tu veux bien **me** donner des tomates ? S'il te plaît, donne-**moi** des tomates ! Donne **m'en**.

2   Avant le verbe à la forme négative :

Cette salade n'est pas rincée, ne **la** mange pas !

Cette eau est non potable, n'**en** bois pas !

Je n'aime pas les tomates ! S'il te plaît, ne **me** donne pas de tomates ! Ne **m'en** donne pas.

Activité 4.1.8

A

Dans les conseils suivants donnés aux skieurs, remplacez les infinitifs des verbes par un impératif. Attention : veillez à faire les accords nécessaires !

Exemple

Conseil au skieur isolé : (rester) avec les autres.

→ *Reste avec les autres !*

1   Conseil au jeune skieur : (suivre) les conseils qui te seront donnés.

2   Conseil aux débutants : (prendre) des cours avant de se lancer dans la nature !

3   Conseil au skieur imprudent : Attention ! (choisir) des pistes plus faciles !

B

Faites le même exercice avec les conseils donnés aux agriculteurs.

Exemple

Conseil à Odette et Aline : (s'adapter) pour réussir.

→ *Adaptez-vous pour réussir !*

1   À Marie : (se lever) tôt pour mieux gérer son temps !

2   Au maire : (se souvenir) des accords signés l'an dernier !

3   Aux stagiaires : (se réveiller) à huit heures demain !

C

Faites maintenant le même exercice à la forme négative.

Exemple

Conseil à votre ami Pierre : (ne pas se décourager) si le lait de ses vaches ne se vend pas.

→ Ne **te décourage pas** si le lait de **tes** vaches ne se vend pas.

1 À Jean et Magali : (ne rien jeter) dans les près.

2 Au groupe dont vous faites partie : (ne pas se laisser) intimider par les autorités.

3 Au petit Marc : (ne pas s'aventurer) seul dans la grotte !

Activité 4.1.9

A

Regardez ces trois panneaux de signalisation affichés dans les stations de ski et dites quelle forme prend le verbe dans ces types de phrases.

Emprunter les remontées mécaniques de 9 h à 18 h

NE PAS FAIRE DE SKI HORS PISTES

Ne pas franchir ce col par mauvais temps

G4.2 L'usage de l'infinitif dans les instructions

L'infinitif peut s'utiliser pour donner un ordre ou une instruction à l'écrit uniquement. On trouve de nombreux exemples dans des lieux publics, sur des panneaux ou des affiches :

> **Garder** les fenêtres fermées.
>
> Ne pas **se pencher** au-dehors.
>
> Ne pas **fumer** dans les toilettes.
>
> Ne pas **marcher** sur les pelouses

On peut aussi utiliser l'infinitif dans les instructions données au grand public pour le guider dans des tâches spécifiques d'apprentissage ou d'évaluation comme les recettes de cuisine, les guides d'assemblage (de meuble, d'outillage, de maquette), les modes d'emploi, prospectus, les règles de jeu, etc.

> **Ajouter** une pincée de sel et **laisser** mijoter...
>
> **Utiliser** le tournevis adapté, fourni dans ce kit de montage.

L'instruction à l'infinitif est générale et impersonnelle. Si elle est accompagnée par un pronom personnel ou un adjectif possessif, ce sera à la troisième personne, indéterminée.

La TARTIFLETTE

FAIRE CUIRE À L'EAU DES POMMES DE TERRE PENDANT 20 MINUTES, LES ÉPLUCHER ET LES COUPER EN RONDELLES. FAIRE FONDRE DANS DU BEURRE TROIS OIGNONS. FAIRE BLONDIR DE LA POITRINE FUMÉ COUPÉE EN PETITS CUBES. MÉLANGER LE TOUT DANS UN PLAT ALLANT AU FOUR. POSER PAR DESSUS UN REBLOCHON COUPÉ EN DEUX PRÉALABLEMENT GRATTÉ DE SA CROÛTE. CUIRE AU FOUR ENVIRON 20 MINUTES. AJOUTER DE LA CRÈME FRAÎCHE 10 MINUTES AVANT LA FIN DE LA CUISSON. UNE FOIS GRATINÉ SERVIR BIEN CHAUD. LA TARTIFLETTE EST SERVIE ACCOMPAGNÉE DE SALADE VERTE.
VIN CONSEILLÉ : UN VIN BLANC SEC DE SAVOIE.

Ne pas **se** pencher au dehors. (pronom)

Regarder droit devant **soi**. (pronom)

Savoir choisir **sa** piste en fonction du niveau de **ses** compétences. (adjectif)

B

Transformez les conseils dans le texte ci-dessous en instructions impersonnelles à l'infinitif. N'oubliez pas de changer les adjectifs possessifs et les pronoms personnels si nécessaire.

Exemple

Sachez choisir votre piste en fonction du niveau de vos compétences.

→ *Savoir* choisir *sa* piste en fonction du niveau de *ses* compétences.

Les Arcs – Règles de bonne conduite

- Respectez les autres.

- Respectez les débutants et contrôlez votre vitesse, ralentissez dans les zones de ski tranquille.

- Ne stationnez pas à un croisement ou derrière une bosse. En cas de chute, libérez l'endroit le plus rapidement possible.

- Cédez la priorité à tous ceux qui viennent de droite.

- En cas d'accident, donnez l'alerte auprès des pisteurs secouristes ou de la remontée mécanique la plus proche. N'oubliez pas d'indiquer le nom de la piste et le numéro de la balise la plus proche.

(D'après Les Arcs : une station Paradiski, *Règles de bonne conduite*, http://www.lesarcs.com/Regles-de-bonne-conduite, dernier accès le 4 août 2008)

Activité 4.1.10 _____

Sur le modèle de la recette ci-dessous, rédigez une recette pour une station de ski plus fréquentée. Vous pourrez aussi vous inspirez du texte « Le mirage de l'or blanc ».

Recette pour une année sympa

Prévoir au moins cinq convives
Verser dans le saladier une bonne dose d'enthousiasme
Ajouter un oignon de patience
Saupoudrer d'énergie et de bonne santé
Bien mélanger
Arroser d'initiatives
Servir avec le sourire

Activité 4.1.11 _____

A

Lisez le texte ci-contre et indiquez lesquelles des affirmations qui suivent sont vraies. Corrigez celles qui sont fausses.

Pollution – Le réchauffement climatique pèse sur les stations de ski

Le réchauffement climatique se fait de plus en plus sentir. Si des experts environnementaux ont mis en garde sur ce phénomène, c'est que les conséquences à long terme pouvaient être catastrophiques. Il n'a pas fallu attendre longtemps pour constater les dégâts causés par les émissions de gaz à effet de serre sur notre planète. Comme l'indique Francesco Frangialli, secrétaire général de l'Organisation mondiale du tourisme (OMT), lors de la 2e édition du Forum international d'Avoriaz, en Haute-Savoie, « le réchauffement de la planète n'est plus une hypothèse, mais une certitude » ayant « des conséquences sur l'activité des stations de ski des Alpes ».

La station d'Abondance ferme

Ainsi, après une saison hivernale 2007 catastrophique, la station d'Abondance, en Haute-Savoie, n'a pas attendu pour fermer son domaine skiable. Selon le maire de la commune, Serge Cettour-Meunier, le maintien de l'ouverture des pistes n'était « pas rentable ». La station, située à 1 200 mètres d'altitude, est trop basse pour profiter des premières tombées de neige, de plus en plus rares ces temps-ci. La petite station ne va sûrement pas être la seule à régler l'ardoise laissée par la pollution. Il y a trente ans les stations recevaient entre 13 et 14 mètres de neige. Francesco Frangialli poursuit : « Cette moyenne a été de 8 mètres ces dix dernières années et de 6 mètres l'an dernier. » Réchauffement climatique ou phénomène cyclique ? Seul l'avenir pourra trancher sur cette question.

(Magali Vogel, « Pollution – Le réchauffement climatique pèse sur les stations de ski », *France Soir*, 19 janvier 2008, http://www.francesoir.fr/economie/2008/01/19/pollution-le-rechauffement-climatique-pese-sur-les-stations-de-ski.html, dernier accès le 14 juillet 2008)

Vocabulaire

régler l'ardoise   payer une dette, une somme due

		Vrai	Faux
1	Francesco Frangialli est maire d'Avoriaz.	☐	☐
2	À Abondance, la saison hivernale 2007 a été colossale.	☐	☐
3	Abondance est une station de ski de haute altitude.	☐	☐
4	La profondeur de la neige à Abondance a à peu près diminué de moitié en une trentaine d'années.	☐	☐
5	L'avenir montrera si le réchauffement climatique est un phénomène irréversible ou cyclique.	☐	☐

B

D'après vous, comment les communes de montagne devraient-elles réagir pour préserver leurs activités touristiques face à l'impact du réchauffement climatique ? Devraient-elles concentrer leurs efforts sur les sports d'hiver ou plutôt diversifier leurs activités touristiques ? Imaginez quels sont les différents types d'activités de montagne qui, à votre avis, seraient susceptibles d'attirer les touristes dans les stations de ski. Rédigez un texte structuré de 230 à 250 mots pour exprimer votre opinion.

Session 2 Environnement et économie

On dit que les aéroports font décoller l'économie. Mais font-ils bon ménage avec l'environnement ? Cette session, qui examine le rapport entre environnement et économie à partir du cas des transports aériens, va vous permettre de découvrir la réflexion en cours parmi les responsables du secteur, le débat sur les multiples pollutions dues aux avions et les inquiétudes des gens qui habitent près des aéroports. Vous considérerez le cas de trois aéroports construits ces dernières années – ceux de Notre-Dame des Landes, de Libreville et de Ouagadougou. À vol d'oiseau entre l'ouest de la France, le Gabon et le Burkina Faso, pays d'Afrique francophone, vous poursuivrez votre réflexion sur l'impact de l'avion sur l'environnement. Vous pourrez ainsi vous faire une opinion à partir des exemples et des différents points de vues étudiés dans cette session.

Points clés

- G4.3 Les temps du futur
- G4.4 L'utilisation du futur dans les phrases avec « si » et avec « quand »
- G4.5 Le discours indirect au présent
- C4.3 Les Français et l'avion
- O4.2 La paraphrase
- O4.3 Marquer les étapes d'une argumentation

Avions et pollution

L'avion fait aujourd'hui partie de la vie quotidienne d'un grand nombre de gens : on se déplace pour le travail ou pour les vacances et on part de plus en plus loin. Cette tendance présente de nombreux avantages pour l'économie, mais des voix de plus en plus nombreuses s'élèvent pour mettre en avant les dangers que les avions font courir à l'environnement. C'est ce que vous allez découvrir dans les activités qui suivent.

Activité 4.2.1

A

Associez les mots suivants à leur équivalent.

1	carburant	(a)	bruit gênant
2	voyageurs	(b)	personnel navigant
3	émissions	(c)	gaz à effet de serre
4	pollution sonore	(d)	kérosène
5	équipage	(e)	passagers

B

Classez les huit phrases suivantes, selon qu'elles contiennent des arguments économiques ou environnementaux.

1   Les aéroports offrent de nouveaux emplois à la population locale.

2   La construction des pistes se fait au détriment des surfaces cultivables.

3   Les aéroports ouvrent leur région sur l'extérieur et développent le tourisme.

4   Les habitants locaux souffrent du bruit causé par les décollages et les atterrissages.

5   Le carburant des moteurs d'avions est un facteur important de pollution.

6   Le trafic passager encourage le commerce et l'industrie hôtelière.

7   Les décollages et atterrissages représentent un danger pour les oiseaux.

8   Le trafic aérien représente un risque quotidien pour les agglomérations survolées à basse altitude.

C4.3   Les Français et l'avion

Selon une enquête menée par la direction générale de l'Aviation civile, en 2007, la moitié des Français n'ont jamais pris l'avion. Pourtant 18% de la population ont effectué au moins un voyage aérien au cours de la dernière année. Un tiers des voyages aériens s'effectuent vers des destinations hors Europe. Deux tiers se font pour des raisons personnelles, par exemple dans le cadre de vacances.

Pour ce qui est des déplacements professionnels, le passager-type est francilien et cadre supérieur. La plupart des trajets en avion s'effectuent au départ ou à destination de la capitale. Près de la moitié des habitants de la région parisienne ont utilisé l'avion en 2006, contre 12% des ruraux. Et 42% des cadres déclarent avoir pris l'avion au cours des douze derniers mois, contre 9% des ouvriers. En fait, un noyau de Français prend l'avion pour des motifs professionnels, effectuant en moyenne 5,3 voyages par an.

Les compagnies « low cost » se développent rapidement en France, ouvrant de nombreuses villes moyennes sur l'extérieur et facilitant les échanges au niveau de l'Europe. Trois pour cent de la population, des jeunes en grande majorité, affirment les avoir utilisées au cours des douze derniers mois. Pourtant, les Français disposent d'un réseau de trains à grande vitesse (TGV), qui fait une forte concurrence à l'avion, pour ce qui est des voyages à destination française.

(Adapté de DGAC – direction générale de l'Aviation civile, *Enquête DGAC : Les français et l'utilisation du transport aérien*, début 2007, http://www.dgac.fr/html/publicat/enquetes/enquete01.html, dernier accès le 4 août 2008)

L'activité qui suit va vous permettre de continuer votre réflexion sur l'impact environnemental de l'avion, tout en pratiquant la paraphrase.

Activité 4.2.2

A

Lisez le texte du blog du *Moniteur* et complétez les affirmations suivantes en choisissant la conclusion la plus exacte.

Trop souvent, on réduit la question du développement durable de l'aviation aux problèmes posés aux riverains, bruit et pollution notamment. [...] Contrairement aux modes de transports terrestres, chemin de fer, canaux et route, l'avion n'a pas besoin d'infrastructures tout au long de son parcours. [...] Et l'avion est beaucoup plus sûr que la route ! Ce sont de véritables avantages, à ne pas négliger. Au-delà de l'effet de serre, il reste les problèmes locaux, concentrés sur les habitants proches des points de départ et d'arrivée. Le bruit est sans doute la nuisance la plus ressentie, et les réponses (isolation, appareils moins bruyants, modes d'approche et trajectoires mieux adaptés, etc.) sont loin de répondre aux exigences des riverains. Comme pour l'énergie, les avions font des progrès. Chaque génération de moteurs gagne en décibels, et on pense installer prochainement leurs réacteurs au dessus des ailes pour que celles-ci renvoient le bruit vers le ciel au lieu de le rabattre sur la terre. Il y a aussi la pollution de l'air, qui reste significative autour des grands aéroports, et les problèmes d'eau : les grandes plateformes sont lessivées par les pluies et entraînent hydrocarbures et produits de dégivrage vers les rivières, nécessitant ainsi de puissantes stations d'épuration. [...]

(Dominique Bidou, « Développement durable : Avion », *Le Moniteur expert.com*, 28 janvier 2008, http://moniblogs.lemoniteur-expert.com/ developpement_durable/2008/01/avion.html, dernier accès le 11 juillet 2008)

Vocabulaire

riverains (m.pl.)   habitants qui vivent le long d'une rue, d'un cours d'eau, d'une voie de communication, ou près d'un aéroport (sens employé ici)

gaz à effet de serre (m.)   gaz qui contribue au réchauffement de la planète en modifiant l'atmosphère

1   Selon le texte, les deux soucis principaux causés par le trafic aérien sont :

   (a)   les problèmes d'eau et de transport ☐

   (b)   le bruit et la pollution ☐

   (c)   les gaz à effet de serre et le kérosène ☐

2   Les chemins de fer, routes et canaux exigent :

   (a)   moins d'infrastructures que les avions ☐

   (b)   autant d'infrastructures que les avions ☐

   (c)   plus d'infrastructures que les avions ☐

3   Beaucoup de compagnies aériennes ont adapté leurs modes d'approche et trajectoires :

   (a)   pour minimiser les nuisances sonores ☐

   (b)   pour des raisons de sécurité ☐

   (c)   pour réduire leur consommation d'énergie ☐

4   On pense installer les réacteurs d'une nouvelle génération d'avions au dessus des ailes :

   (a)   afin de diminuer les émissions de gaz à effet de serre ☐

   (b)   afin de les rendre moins bruyants ☐

   (c)   afin de faciliter le décollage et l'atterrissage ☐

5 La pollution de l'eau près des aéroports est due au fait que :

(a) les pluies entrainent les hydrocarbures des pistes vers les rivières ☐

(a) on lave les avions tous les jours ☐

(a) les pluies collectent la pollution de l'air ☐

B

Parmi ces deux paraphrases du texte, laquelle vous semble la plus respectueuse du texte initial ?

1 Selon le *Moniteur*, on pense trop souvent aux nuisances créées par les transports aériens. En fait, l'avion détruit moins le paysage que les autres moyens de transports. Il est aussi moins dangereux que la voiture. Il ne faut pas négliger ces avantages. Les problèmes causés par le trafic aérien affectent surtout les gens qui vivent près des aéroports. Ceux-ci se plaignent surtout du bruit, et les solutions apportées (double vitrage, amélioration des avions, changement de route des avions à l'arrivée et au départ) n'ont pas résolu le problème. Grâce aux efforts des constructeurs, les avions sont de moins en moins bruyants. Mais au voisinage des grands aéroports, l'air et l'eau sont pollués :

la pluie tombe sur les pistes et entraîne les flaques d'essence et les autres traces de produits chimiques vers les rivières, qui doivent ensuite être nettoyées.

2 Selon le *Moniteur*, il ne faut pas oublier que le transport aérien pose beaucoup moins de problèmes que les transports terrestres et qu'il pollue beaucoup moins. En fait, la majorité des gens ne sont pas affectés par le trafic aérien. Ce sont les gens qui vivent près des aéroports qui se plaignent. Des solutions ont été apportées pour limiter la pollution sonore, mais ces efforts n'ont pas vraiment donné de résultats : c'est que, pendant ce temps, le nombre de décollages et d'atterrissages a augmenté et que les avions sont de plus en plus gros. De plus, les pistes ne sont pas nettoyées régulièrement et la pluie entraîne toute cette crasse vers les rivières, qu'il est impossible de nettoyer.

O4.2   La paraphrase

La paraphrase est un exercice souvent pratiqué de façon informelle.

Paraphraser un texte, c'est à la fois :

- le réécrire avec ses propres mots
- le développer de façon à en faire ressortir l'essentiel
- l'expliquer, le rendre plus clair

Et cela, dans le respect des idées et du raisonnement de l'auteur.

Voici une méthode à suivre pour paraphraser un texte correctement :

1 Lisez attentivement le texte initial, soulignez les mots clés puis cherchez les mots difficiles.

2 Dégagez le plan du texte initial.

3   Une fois le texte compris, reprenez les mots clés du texte et remplacez-les par des synonymes.

4   Réécrivez les phrases du texte avec vos propres mots. La paraphrase ne doit reprendre ni les mots ni la structure des phrases du texte.

5   Reliez les phrases par des connecteurs tels que « en fait ; donc ; ainsi ; mais ; par conséquent », pour respecter le développement de la pensée du texte initial.

6   Structurez la paraphrase en gardant le plan du texte initial.

7   Introduisez la paraphrase en mentionnant l'auteur/l'article/ le journal. Par exemple : « selon le *Moniteur*... ». L'absence d'introduction vous rendrait coupable de plagiat.

8   Quand vous avez fini d'écrire, comparez la paraphrase et le texte initial pour vous assurer que vous avez bien respecté les idées et le raisonnement de l'auteur et le ton de son texte, et que votre texte n'est pas plus long que le texte initial.

Activité 4.2.3

A

Relisez le texte C4.3 « Les Français et l'avion », et identifiez cinq phrases clés du texte, pour en dégager le plan initial.

B

Faites la paraphrase de l'encadré C4.3 « Les Français et l'avion », en suivant ce plan initial et prenant en compte les conseils que vous venez de lire.

Activité 4.2.4

A

Identifiez dans le texte ci-dessous les verbes qui décrivent une action ou un état à venir et trouvez leur infinitif.

> On va vous expliquer ce qu'il va se passer dans les prochaines années dans le domaine du trafic aérien. Selon les experts, l'avion du futur ressemblera beaucoup aux avions actuels : il volera à 950 km/h, comme on le fait déjà depuis un demi-siècle. Ses réacteurs fonctionneront encore au kérosène. Dès que les réserves de pétrole se seront épuisées, on fabriquera du carburant de synthèse, à partir du charbon. D'ici là, on aura mis au point de nouveaux procédés de combustion, pour le rendre moins polluant. Quant aux passagers, ils seront toujours traités comme du bétail, s'ils persistent à vouloir voyager à bas prix.

B

Classez les verbes que vous avez identifiés selon le tableau suivant.

Verbes au futur proche	Verbes au futur simple	Verbes au futur antérieur

G4.3 Les temps du futur

Le futur proche

Pour former le futur proche, on utilise « aller (au présent) + verbe (à l'infinitif) » :

> L'avion **va décoller** dans une demi-heure.

> Nous vous prions d'attacher vos ceintures car nous **allons atterrir** dans quelques minutes.

L'emploi du futur proche est très fréquent à l'oral. Il s'utilise pour parler d'une action imminente, mais souvent il peut aussi exprimer une intention.

> Les riverains **vont** sûrement **manifester** contre la construction de ce nouvel aéroport.

Le futur simple

On forme le futur des verbes réguliers à partir de l'infinitif.

Pour les verbes en « -er » et « -ir » on y ajoute tout simplement les terminaisons dans l'encadré ci-dessous.

Dans le cas des verbes en « -re » (« conduire, boire, dire », etc.), on enlève le « e » final, avant d'ajouter les mêmes terminaisons.

Voyager	Choisir	Conduire
je voyager**ai**	je choisir**ai**	je conduir**ai**
tu voyager**as**	tu choisir**as**	tu conduir**as**
il/elle voyager**a**	il/elle choisir**a**	il/elle conduir**a**
nous voyager**ons**	nous choisir**ons**	nous conduir**ons**
vous voyager**ez**	vous choisir**ez**	vous conduir**ez**
ils/elles voyager**ont**	ils/elles choisir**ont**	ils/elles conduir**ont**

D'autres verbes changent de radical pour former le futur, mais les terminaisons sont régulières.

- avoir → j'**aurai**
- être → je **serai**
- aller → j'**irai**
- devoir → je **devrai**
- faire → je **ferai**
- falloir → il **faudra**
- pouvoir → je **pourrai**
- venir → je **viendrai**
- vouloir → je **voudrai**

Le futur s'emploie pour exprimer un engagement, une promesse, une prédiction, un ordre ou des directives dans un avenir proche ou lointain.

> L'avion du futur **ressemblera** beaucoup aux avions actuels.

Le futur antérieur

On forme le futur antérieur d'un verbe avec « être » ou « avoir » au futur simple et son participe passé. Le futur antérieur permet de dire qu'une action future sera terminée à un moment de l'avenir, généralement précisé par une indication de temps.

> D'ici un an, on **aura construit** le nouvel aéroport.

> Les manifestants **seront arrivés** avant sept heures.

> Elle **aura fini** ses recherches avant la fin du mois.

> D'ici trente ans, la télévision **aura disparu**.

Activité 4.2.5 _____

A

Complétez les phrases suivantes en mettant le verbe entre parenthèses au futur.

1 À l'avenir, on (fabriquer) _____ des avions plus sûrs et plus silencieux.

2 À partir de 2020 les avions (devoir) _____ être moins polluants.

3 Dans les années à venir, les normes gouvernant les émissions (être) _____ de plus en plus strictes.

4 Dans dix ans, il y (avoir) _____ moins de compagnies aériennes.

5 Qui sait si les projets de construction de nouveaux aéroports (aboutir) _____ ou pas ?

B

Dans les phrases suivantes transformez le futur en futur proche.

1 Les chercheurs travailleront pour faire évoluer la construction des avions.

2 Le CNRS lancera un appel aux offres très prochainement.

3 On construira un nouvel aéroport pour remplacer celui de Nantes.

4 Il faudra être persistent pour réussir dans cette tâche.

5 Ils chercheront des solutions techniques pour diminuer le bruit des réacteurs.

C

Mettez les verbes entre parenthèses au futur antérieur.

1 Avant la fin du XXIe siècle, les compagnies à bas prix (disparaître) _____.

2 D'ici vingt minutes, l'avion (atterrir) _____ à l'aéroport de Roissy.

3 D'ici 2050, les carburants (être) _____ remplacés par d'autres substances moins polluantes.

4 Les protestataires (se calmer) _____ avant la fin de la réunion.

5 Il (arriver) _____ d'ici là.

G4.4 L'utilisation du futur dans les phrases avec « si » et avec « quand »

1 Le futur simple s'utilise dans les phrases avec « si » pour parler d'une action qui se réalise à condition d'une autre action. La condition est introduite par « si » suivi d'un verbe au présent. L'action qui suivra – si la condition se réalise – est au futur.

> Si ma voiture **tombe** (présent) en panne, je **prendrai** (futur simple) le car.

> Si les stations **sont** (présent) davantage enneigées, il y **aura** (futur simple) plus de skieurs.

2 Dans les phrases avec des marques temporelles comme « quand, après que, dès que, une fois que, aussitôt que », on doit utiliser le futur simple pour situer des actions dans l'avenir.

> Quand ma voiture **tombera** en panne, je **prendrai** le car.

> Quand l'aéroport **se construira**, les riverains **partiront**.

> Quand je **serai** grand, je **serai** pilote d'avions.

3 On utilise le futur antérieur en conjonction avec le futur simple pour dire qu'une action future sera terminée avant une autre action future. Le verbe de la première action dans le temps, introduite par « quand » (ou une autre marque temporelle), est au futur antérieur. Le verbe de la seconde action est au futur simple.

Quand le pilote **aura terminé** (futur antérieur) ses préparatifs, l'avion **pourra** (futur simple) enfin décoller. (Le pilote termine ses préparatifs, ensuite l'avion décolle)

Nous **monterons** (futur simple) dans l'avion, dès que tous les passagers **auront présenté** (futur antérieur) leur carte d'embarquement. (Les passagers présentent leur carte d'embarquement, ensuite ils montent dans l'avion)

L'avion **pourra** (futur simple) commencer sa descente une fois qu'on **aura dégagé** (futur antérieur) la piste d'atterrissage. (On dégage la piste et ensuite l'avion peut descendre)

Activité 4.2.6

A

Complétez les phrases suivantes.

Exemple

Si ma voiture tombe en panne, je (prendre) _____ le car.

→ Si ma voiture tombe en panne, je **prendrai** le car.

1   S'il fait beau, nous (profiter) _____ du soleil pour faire une randonnée.

2   Si tu vis à la campagne, tu (avoir) _____ une meilleure qualité de vie.

3   Si l'essence augmente encore, j'(opter) _____ pour le vélo.

4   Si elles ont le choix, elles (aller) _____ au travail à pied.

5   Si on interdit l'usage des voitures, la pollution atmosphérique (diminuer) _____ .

B

Complétez les phrases suivantes en mettant les verbes entre parenthèses au temps qui convient.

1   Nous pourrons décoller quand le pilote (recevoir) _____ le signal.

2   Vous voyagerez à bas prix quand vous (pouvoir) _____ partir en vacances en hors saison.

3   J'achèterai une voiture à moteur électrique quand je (avoir) _____ de l'argent.

4   Les compagnies aériennes baisseront leurs prix quand le pétrole (être) _____ plus abordable.

5   La pollution atmosphérique diminuera quand le trafic aérien (s'arrêter) _____ .

C

Complétez les phrases suivantes en mettant les verbes au futur ou au futur antérieur pour exprimer laquelle des deux actions sera terminée avant l'autre.

1   Quand la pluie (cesser) _____ , nous en (profiter) _____ pour faire une randonnée.

2   Une fois qu'on (construire) _____ le nouvel aéroport, tu (pouvoir) _____ voyager plus facilement.

3   Quand l'essence (devenir) _____ trop chère, je (opter) _____ pour le vélo.

4   On (pouvoir) _____ passer chez Maud ce soir si tu veux, mais à mon avis elle (partir) _____ avant qu'on arrive.

5   Dès qu'on (interdire) _____ l'usage des voitures, la pollution atmosphérique (diminuer) _____ .

Activité 4.2.7

Certains préconisent d'abandonner totalement les voyages aériens pour protéger l'environnement. Si cette décision est appliquée, quelles seront, à votre avis, les conséquences pour l'économie ? Quels changements dans les transports en général pouvez-vous envisager ? Qu'est-ce qui aura disparu en 2050 ? Répondez en utilisant quelques-unes des structures que vous venez de rencontrer (futur, futur antérieur, propositions avec « si » ou « quand »). Écrivez 230–250 mots.

Les nouveaux aéroports

Les activités suivantes vont vous donner l'occasion de considérer l'impact des avions sur l'environnement à partir d'un cas précis : celui du nouvel aéroport de Nantes. Au fil des textes, vous enrichirez votre vocabulaire et vous pratiquerez le discours rapporté.

Activité 4.2.8

A

Lisez le texte suivant et identifiez les éléments du texte qui indiquent que l'intervention de Mme Garcin est rapportée indirectement par une autre personne.

> Mme Garcin (mairie de Banville) dit que la population de Banville a été particulièrement sensibilisée par la modification des trajectoires d'approche et d'atterrissage de certaines compagnies desservant l'aéroport de Banville-les-Prés. Elle affirme que les changements de procédures ont en effet créé une véritable polémique parmi les habitants, avec la création d'associations de riverains. À son avis, ceci a engendré une augmentation du nombre de nouveaux plaignants. Une fois toutes les plaintes contre les nuisances sonores comptabilisées, elle a pu constater une forte hausse du mécontentement. Elle ajoute que la réglementation actuelle ne permet de notifier des infractions qu'aux compagnies qui ne respectent pas les restrictions d'exploitation convenues. En ce qui concerne les trajectoires aériennes, elle confirme qu'aucune amende n'est possible.

B

Reconstituez les paroles de Mme Garcin en réécrivant ce texte au discours direct.

G4.5 Le discours indirect au présent

Le discours indirect s'utilise quand les paroles d'un locuteur sont rapportées par une autre personne. Il y a changement de perspective et le sujet de l'énoncé original change de personne. Le plus souvent, on utilise la troisième personne. Ceci entraîne d'autres modifications grammaticales.

> « Je joue tous les week-ends au tennis avec mes copains », dit Paul. (discours direct)
>
> → Paul dit qu'il joue au tennis tous les week-ends avec ses copains. (discours indirect)
>
> « Est-ce que tu les bats souvent ? » demande son oncle.
>
> → Son oncle lui demande s'il les bat souvent.

Voici ce qui change quand on passe au discours indirect :

1 La construction de la phrase :

(a) Les paroles sont introduites par « que » :

> Elle écrit : « Je suis de retour ».
>
> → Elle écrit qu'elle est de retour.

(b) Les questions simples sont introduites par « si » :

> Le journaliste demande : «La vie va-t-elle changer d'ici un siècle ? »
>
> → Le journaliste demande si la vie va changer d'ici un siècle.

2 Les pronoms personnels :

> Elle dit : « Oui, Didier, je suis de retour de Montréal. »
>
> → Elle dit à Didier qu'elle est de retour de Montréal.

3 Les adjectifs possessifs :

> Le journaliste demande à l'agriculteur : « Votre vie va-t-elle changer ? »
>
> → Le journaliste lui demande si sa vie va changer.

4 Les pronoms possessifs :

> Jean dit à Pierre : « On va te dédommager pour tes cochons ? Moi, on m'a donné de l'argent pour les miens. »
>
> → Jean dit à Pierre qu'on lui a donné de l'argent pour les siens.

Pour rapporter des paroles au discours indirect, vous pouvez, selon le contexte, utiliser les verbes suivants :

- affirmer
- ajouter
- annoncer
- assurer
- déclarer
- demander
- dire
- expliquer
- indiquer
- préciser
- raconter
- répondre
- souligner

> À la réunion, le maire annonce que le nouvel aéroport ne sera pas prêt avant cinq ans. Il affirme que toutes les études sur l'impact écologique du projet ont été positives et il ajoute même que les habitants sont maintenant convaincus des bienfaits économiques de ce projet.

Dans l'activité suivante, vous allez avoir l'occasion de pratiquer le discours indirect que vous venez d'étudier, à partir d'un extrait de discours prononcé par le secrétaire d'État aux transports devant l'assemblée générale de l'Union des aéroports français (UAF).

Activité 4.2.9

Réécrivez le texte ci-dessous, pour rapporter les paroles de Dominique Bussereau au discours indirect. Commencez par la formule : « Le secrétaire d'État affirme que... ».

> Au terme des tables rondes du Grenelle de l'environnement, Jean-Louis Borloo, Nathalie Kosciusko-Morizet et moi-même avons signé avec les acteurs du transport aérien la première convention récapitulant les engagements pris de part et d'autre, avec trois objectifs : la réduction des émissions de CO^2 ; celle des émissions d'oxydes d'azote ; la lutte contre les nuisances sonores.
>
> Cette convention porte en particulier sur l'amélioration de la performance environnementale des aéroports. Je me réjouis de constater que l'UAF et plusieurs aéroports ont déjà réagi, manifestant leur volonté de participer à notre politique de développement durable.
>
> Cette convention traite notamment de l'insonorisation des logements des riverains d'aéroports, l'objectif étant de mieux satisfaire les demandes des riverains les plus exposés.
>
> (Dominique Bussereau, « Discours devant l'assemblée générale de l'Union des aéroports français (UAF) », *Le blog Enjeux*, 21 mai 2008, http://www.enjeux.org/index.php ?m=05&y=08&d=21&entry=entry080521–17004, dernier accès le 11 juillet 2008)

Notes culturelles

Grenelle de l'environnement   un processus qui vise à mettre en œuvre, par le dialogue entre les acteurs de la société française, une nouvelle politique en matière d'environnement pour la France, dans le but de faire passer une loi sur l'environnement (voir C4.7 « De Kyoto à Grenelle »). « Grenelle » fait référence aux accords de Grenelle négociés en 1968 entre le gouvernement de Georges Pompidou, les syndicats et les organisations patronales pour mettre fin à l'agitation sociale issue de mai 1968. Depuis ces accords, toute grande conférence entre les partenaires sociaux de l'État ont été nommés « Grenelle de... ».

Jean-Louis Borloo   ministre de l'Écologie, de l'Énergie, du Développement durable et de l'Aménagement du territoire (à ce poste quand le processus du Grenelle de l'environnement a commencé)

Nathalie Kosciusko-Morizet   la secrétaire d'État chargée de l'Écologie auprès du ministre Jean-Louis Borloo

Vous allez maintenant poursuivre votre réflexion sur l'impact des transports aériens sur l'environnement tout en pratiquant les techniques de structuration d'un texte.

Activité 4.2.10

Lisez le texte ci-contre sur l'aéroport de Notre-Dame-des-Landes, en Loire-Atlantique, puis cochez les affirmations à la page 38 qui vous semblent vraies et corrigez celles qui sont fausses.

Feu vert pour l'aéroport Grand Ouest

Le décret d'utilité publique relatif au projet du nouvel aéroport de Notre-Dame-des-Landes a été publié le 10 février 2008.

Une construction respectueuse des normes de Haute Qualité Environnementale

La réalisation du futur aéroport Grand Ouest Notre Dame des Landes qui remplacera celui de Nantes-Atlantique, permettant de réduire les nuisances sonores en supprimant les survols à basse altitude, sera conditionnée par le respect des normes de Haute Qualité Environnementale (HQE).Témoins du choix d'une attitude responsable, ces normes intègrent dans le bâti des principes du développement durable, tels que définis au Sommet de la Terre à Rio en 1992. Ainsi, gestion de l'eau, de l'énergie ou encore impact sur l'environnement direct sont pris en compte dans l'élaboration de règles cadrant le processus de construction.

Un travail préparatoire de concertation

Une réunion d'information et d'échanges organisée par le Préfet de Région Pays de Loire en janvier 2008 avec les partenaires locaux du Grenelle Environnement avait déjà permis la prise en compte d'une série de mesures environnementales :

- un site bocager maintenu en état
- une étude d'impact sur la faune et la flore
- un plan de gestion agri-environnemental concerté
- un dispositif de surveillance de la qualité de l'air
- la mise en œuvre d'un projet paysager.

Les engagements pris lors de l'enquête publique

Ainsi, en découlent trois grands axes d'actions, cohérentes avec le volontarisme environnemental affiché :

- optimisation des trajectoires aériennes grâce aux deux pistes
- compensations des effets sur la biodiversité
- mesures en faveur de la qualité de l'air et de l'eau.

Désormais, ce projet devra répondre aux normes de Haute Qualité Environnementale et assurer aux usagers une desserte en transports collectifs efficace dès l'ouverture de l'aéroport. Pour assurer le suivi et le bon respect des engagements pris, un observatoire associant l'ensemble des parties prenantes sera mis en place localement, continuant ainsi dans cette voie de la concertation.

(Ministère de l'Écologie, de l'Énergie, du Développement durable et de l'Aménagement du territoire, « Développement durable », 11 février 2008, http://www.developpement-durable.gouv.fr/article.php3?id_article=2885, dernier accès le 11 juillet 2008)

Vocabulaire

une desserte (f.)   un service

des parties prenantes   des personnes concernées

		Vrai	Faux
1	L'aéroport de Notre-Dame-des-Landes va remplacer celui de Nantes.	☐	☐
2	Le projet a été présenté aux riverains lors d'une rencontre d'information.	☐	☐
3	Le nouvel aéroport est censé améliorer la qualité de vie des Nantais, puisque les avions ne passeront plus au ras de leurs toits.	☐	☐
4	Le nouvel aéroport n'aura qu'une seule piste.	☐	☐
5	L'enquête publique a révélé que les passagers devront y accéder en voiture.	☐	☐
6	La construction d'un observatoire va accompagner celle de l'aéroport.	☐	☐

Activité 4.2.11

A

Lisez le texte ci-dessous et faites correspondre les mots qui suivent à leur équivalent.

Le projet de nouvel aéroport à Nantes fait débat

À l'horizon 2015, l'aéroport existant de Nantes-Atlantique va céder sa place à Notre-Dame-des-Landes, implanté sur un nouveau site pour permettre de répondre à la hausse de fréquentation tout en évitant les survols de l'agglomération nantaise à basse altitude. [...]

Pour la coordination des associations opposées au projet de l'aéroport de Notre-Dame-des-Landes, ce projet est avant tout la concrétisation de projets destructeurs de l'environnement : une autoroute par ici, un contournement par là... On pourrait ajouter à ceci que l'avion est le moyen de transport collectif le plus énergivore par passager transporté et, à ce titre, une source de pollution importante. Enfin, alors que l'industrie, l'agriculture, les constructeurs automobiles et les particuliers, via les normes de l'habitat, sont de plus en plus sollicités pour participer à la lutte contre le réchauffement climatique, le secteur aérien voit ses émissions de gaz à effet de serre exploser, tout comme le trafic qui l'accompagne, dans le silence le plus total des autorités. Et ce n'est pas ce nouvel aéroport de Notre-Dame-des-Landes qui y changera quelque chose, bien au contraire. [...]

Enfin, pour les 1 500 riverains de l'aéroport actuel, en attente de l'insonorisation de leur logement, il reste à savoir si ce nouvel aéroport va geler les financements attendus et annoncés début décembre 2007.

(Alex Belvoit, « Le projet de nouvel aéroport à Nantes fait débat », *Univers Nature*, 11 février 2008, http://www.univers-nature.com/inf/ inf_actualite1.cgi?id=2982, dernier accès le 11 juillet 2008)

1	contournement	(a)	bloquer
2	énergivore	(b)	invités
3	sollicités	(c)	déviation
4	exploser	(d)	consommateur d'énergie
5	geler	(e)	se multiplier

B

Répondez aux questions suivantes.

1 Pour quelle raison principale construit-on ce nouvel aéroport ?

2 Y a-t-il un consensus en faveur de l'aéroport Notre-Dame-des-Landes ?

3 En quoi les 1 500 riverains de l'aéroport actuel pourraient-ils se sentir désavantagés par la construction du nouvel aéroport ?

4 Comment le secteur aérien participe-t-il à la lutte contre le réchauffement climatique ?

C

Faites la liste des arguments contre la construction du nouvel aéroport.

D

Soulignez dans le texte les mots et expressions qui marquent les différentes étapes de l'argumentation.

O4.3 Marquer les étapes d'une argumentation

Pour développer une argumentation, il est indispensable de structurer vos arguments de façon rigoureuse. Mais pour faire valoir la force de ces arguments, il faut aussi les mettre en relief, en marquant chaque étape de votre argumentation d'une petite phrase bien jugée. Il s'agit pour vous de développer un répertoire personnel – à l'aide d'un cahier ou d'un fichier où vous noterez vos expressions préférées. Déployez-les, de manière naturelle. Cela deviendra un aspect de votre style personnel.

Par exemple, voici quelques phrases qui remplissent cette fonction :

Identifier la question centrale

- Avant de se lancer dans une discussion, il faudrait bien définir...

- Au premier abord, le problème semble être...

- Dans cette matière, il s'agit de...

- Le véritable enjeu ici est...

Enumérer une succession d'arguments

- Tout d'abord...

- Pour commencer...

- Dans un premier temps...

- Ensuite...

- En second lieu...

- Deuxièmement...

- De plus...

Récapituler

- Pour résumer les arguments avancés jusqu'à présent...

- Somme toute...

- Il est acquis que...

Reformuler

- Autrement dit...

- C'est-à-dire que...

- En d'autres termes...

Marquer un tournant

- Or...

- D'ailleurs...

- Quant à...

- Pour ce qui est de....

- En ce qui concerne...

Conclure

- Pour conclure...

- Il s'agit maintenant de faire le bilan...

- En fin de compte...

- En définitive...

Activité 4.2.12 _____

Les habitants de Langeais ont décidé de rédiger un briefing de presse pour exprimer leur opposition à une proposition de construction d'un nouvel aéroport sur le territoire de leur commune. Complétez le texte à l'aide des expressions de l'encadré ci-dessous.

> d'ailleurs • il est acquis que • le véritable enjeu est • autrement dit • dans cette matière, il ne s'agit pas de • quant aux • or • pour conclure • pour ce qui est du

Nous, les habitants de Langeais sommes résolument opposés au projet de construction d'un nouvel aéroport sur le territoire de notre commune. _____ petites modifications de notre mode de vie. _____ notre survie même. D'une part nous sommes menacés par l'expropriation, puisque, évidemment, la construction d'un aéroport va nécessiter l'achat de nombreuses propriétés par les autorités. D'autre part, _____ les nuisances liées aux aéroports incluent la contamination des cours d'eau environnants par les hydrocarbures et d'autres produits toxiques. _____, nous sommes, pour la plupart des éleveurs d'animaux. _____, nous avons le choix entre un exil forcé et l'empoisonnement de nos bêtes.

Nous ne sommes pas les seuls concernés. _____ personnes âgées, qui sont nombreuses dans la commune, leur situation est encore pire. Beaucoup n'ont pas la possibilité de déménager. Une fois l'aéroport en service, elles seront exposées en permanence aux nuisances sonores qui accompagnent inévitablement ce genre de développement.

_____, ce n'est pas seulement le sort des êtres humains qui nous préoccupe. _____ patrimoine naturel, un tiers de la superficie de la commune est un site classé, en tant que station de migration pour de nombreux oiseaux rares d'Afrique qui y viennent chaque été construire leurs nids et élever leurs petits.

_____, cette proposition d'aéroport est entièrement inadmissible. Nous exigeons donc que les autorités s'exercent à trouver un autre site moins désastreux pour l'écologie de la région et le bien-être de ses habitants.

Regards croisés

En Afrique francophone, les compagnies aériennes développent les lignes intérieures pour répondre à une demande accrue. De nouveaux complexes aéroportuaires se construisent aux abords des capitales régionales, et des associations se créent pour prévenir la destruction de l'environnement du fait de l'accroissement du trafic aérien. Pourtant le grand public se félicite plutôt de l'impact économique positif des aéroports, comme vous allez le voir à partir de textes sur les aéroports de Libreville (Gabon) et Ouagadougou (Burkina-Faso).

Activité 4.2.13

A

Lisez le texte et identifiez les trois phases majeures de la construction de l'aéroport de Ouagadougou.

360 millions d'euros pour le nouvel aéroport de Ouagadougou

Le nouvel aéroport de Ouagadougou, dont les travaux doivent débuter en 2008, pourra recevoir des airbus A380 et 30 millions de passagers par an.

À 35 km au nord de Ouagadougou, un terrain d'une superficie de 63 km^2 est déjà prêt à accueillir le nouvel aéroport international dont le coût est estimé à 360 millions d'euros (236,6 milliards de francs CFA). Ce nouvel aéroport, qui sera érigé dans une bourgade au nord de la capitale politique, sera exécuté en trois phases. Le financement en sera assuré par l'État burkinabé et le secteur privé.

Selon le chef du projet Sibiri Zango, la première phase (2008–2011), qui coutera 173 millions d'euros, permettra d'accueillir les aéronefs de type Boeing 747. Le plan de développement prévoit deux pistes pour l'atterrissage et le décollage, une liaison avec le réseau ferroviaire, huit terminaux passagers avec un terminal distinct pour les pèlerins et les compagnies low cost. La deuxième phase (2015–2017) verra l'extension des capacités aéroportuaires. Elle se chiffre à 55 millions d'euros. Cette phase permettra d'étendre le terminal passagers et celui du fret, de renforcer la sécurité aéroportuaire grâce à un équipement radar, ainsi que des équipements de contrôle et de surveillance.

6 000 emplois seront espérés dès l'entame du projet.

La troisième phase (2018–2023) sera consacrée à la création d'une zone franche, la construction de bretelles de voie ferrée, de complexes hôteliers et commerciaux ainsi qu'au démarrage des études de faisabilité d'une deuxième piste d'atterrissage. [...] 6 000 emplois seront espérés dès l'entame du projet et 15 000 dans les 25 ans à venir.

(Daouda Ouedraogo, « 360 millions d'euros pour le nouvel aéroport de Ouagadougou », *Les Afriques : Le journal de la finance africaine*, no. 3, 12–18 septembre 2007, http://www.lesafriques.com/investissement/360-millions-d-euros-pour-le-nouvel-aeroport-de-ouagad.html?Itemid=144, dernier accès le 11 juillet 2008)

Vocabulaire

burkinabé du Burkina Faso (ancienne Haute-Volta)

les aéronefs (m.pl.) les avions

le réseau ferroviaire l'ensemble des lignes de trains

l'entame (f.) l'inauguration, le début

Note culturelle

le franc CFA (franc de la communauté financière africaine) la monnaie commune de 14 pays africains francophones. Créé en 1959, le franc CFA est lié depuis 1999 au cours de l'euro.

B

Répondez aux questions suivantes :

1   De quelle source les informations dans cet article ont-elles été tirées ?

2   Quel point de vue l'auteur exprime-t-il à l'égard du projet ?

3   Quel argument majeur présente-t-on en faveur du projet ?

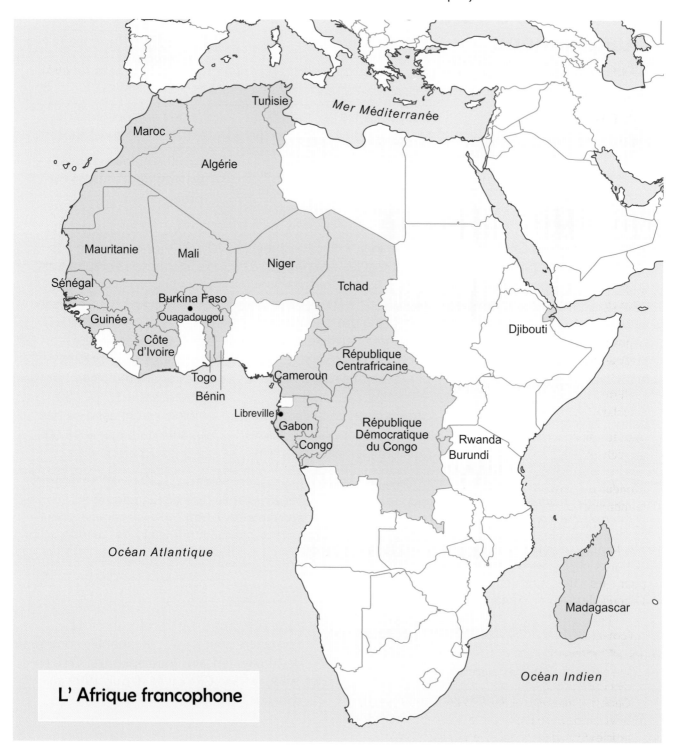

L' Afrique francophone

Activité 4.2.14

Lisez le texte suivant et faites la liste des arguments de l'organisation Brainforest concernant le site choisi pour l'aéroport de Malibé II au Gabon.

L'ONG Brainforest préoccupée par le projet de construction d'un nouvel aéroport au Gabon

LIBREVILLE – Le président de l'organisation non gouvernementale (ONG) Brainforest, Marc Ona Essangui, a interpellé dimanche sur une chaîne de télévision privée les autorités gabonaises à réaliser une étude de faisabilité et d'impact avant d'engager les travaux de construction du nouvel aéroport sur le site classé de Malibé II, au nord de Libreville.

« Nous ne nous opposons pas à la construction de l'aéroport, nous ne nous opposons pas à la réalisation de l'étude de faisabilité. Nous nous opposons au choix du site qui est maintenu, c'est-à-dire Malibé II. C'est un choix que nous continuons à dénoncer parce que c'est un site qui renferme beaucoup de richesses écologiques », a déclaré Ona Essangui. […]

Sur le plan international, ce site constitue un échantillon important de l'écorégion des mangroves d'Afrique centrale. La baie de la Mondah est particulière du fait de la présence de nombreuses tannes, des structures peu communes dans les mangroves d'Afrique centrale.

Sur le plan zoologique, ce site représente une station de migration et d'hivernage internationale pour les limicoles d'origine paléarctique. D'après Jean-Pierre Vande Weghe, la baie de la Mondah abrite environ 60% des limicoles hivernant au Gabon (30 000–35 000).

(« L'ONG Brainforest préoccupée par le projet de construction d'un nouvel aéroport au Gabon », *Infos Plus Gabon*, 13 août 2006, http://www.infosplusgabon.com/article.php3?id_article=552, dernier accès le 11 juillet 2008)

Vocabulaire

tannes (m.pl.)   terres très salines et dénudées

les limicoles (m.pl.)   oiseaux qui se nourrissent d'insectes présents dans la vase des mangroves

B

Comparez le texte que vous venez de lire avec celui de l'activité précédente. Qu'est-ce qui les différencie, quant aux arguments considérés par les deux auteurs ?

Activité 4.2.15

Compte tenu des différents points de vue considérés dans cette session, quels sont à votre avis les avantages et les inconvénients du développement massif des transports aériens au cours des dernières décennies ? Les arguments ont-ils un poids différent, selon le pays ? Répondez en 300–400 mots.

Session 3 Les bons gestes

Que faire pour préserver notre environnement ? Dans le cadre des directives européennes, la France a rejoint l'action d'autres pays et s'organise pour faire un geste quotidien en faveur de l'environnement. Dans le domaine des transports, six villes au moins ont déjà leur métro ; le tram fait un retour spectaculaire et transforme peu à peu le paysage urbain ; vélos et cyclopolitains conquièrent les rues sans bruit ; le covoiturage s'organise et les rues piétonnes transforment l'atmosphère des centres-villes. Enfin, le recyclage se généralise, les grandes surfaces abandonnent la distribution gratuite de sacs plastiques, tandis qu'on redécouvre les vertus des cabas et filoches. La France se met au vert !

Points clés

- G4.6 Les pronoms relatifs composés
- G4.7 Utiliser le présent pour raconter au passé
- C4.4 Transports publics : tradition et innovation
- C4.5 Recyclage : à l'écoute de l'Europe
- C4.6 Le retour du cabas
- O4.4 Les niveaux de langue

Transports écologiques

En France, les fins de semaine et les congés jettent des milliers de voyageurs sur les routes, tandis que le pays cherche à réduire la pollution due aux voitures. Dans les activités suivantes, vous allez découvrir d'autres modes de transport qui tentent de mieux prendre en compte la protection de l'environnement.

Activité 4.3.1 _____

Regardez les trois photos ci-dessous et notez le moyen de transport que vous préférez. Expliquez votre choix en quelques mots.

Activité 4.3.2 _____

A

Parmi les trois définitions ci-dessous, choisissez celles qui, d'après vous, correspondent aux principes de covoiturage.

1   Plusieurs conducteurs (au moins deux) qui font régulièrement un même trajet décident d'acheter collectivement une voiture pour réduire son prix d'achat.

2   Plusieurs conducteurs (au moins deux) qui font régulièrement un même trajet décident de partager leur voiture en alternance pour se rendre ensemble au même endroit, conduits une fois par l'un, une fois par l'autre.

3   Un conducteur accepte de transporter plusieurs personnes sur un même trajet en échange d'une participation financière de leur part aux frais de transport.

B

Lisez le texte ci-dessous et relevez sous forme de notes les principaux avantages qu'offre le covoiturage.

Les avantages du covoiturage – économique, écologique, convivial

L'aspect économique

En effet, le covoiturage vous permettra de diminuer largement vos frais liés à vos trajets en voiture (essence, usure de la voiture...). Dans le cas d'un covoiturage alterné (plusieurs conducteurs qui conduisent par alternance) vous pourrez diviser vos frais de trajet par autant de conducteurs qui participent au covoiturage. Dans le cas d'un covoiturage avec participation (les passagers participent financièrement aux trajets), là encore on observera une nette diminution des frais engendrés par l'utilisation de votre voiture.

Un geste pour l'écologie

Le covoiturage est une pratique qui permet de diminuer significativement le nombre de voitures circulant sur les routes. La première conséquence est la diminution de la pollution et de l'émission des gaz à effet de serre. Ceci permet également la diminution de consommation d'énergie non renouvelable comme le pétrole.

Des trajets plus rapides

Grâce à la diminution du nombre de voitures circulant au même moment, les embouteillages et autres ralentissements aux entrées des villes aux heures de pointe seront nettement réduits. Les problèmes de stationnement seront également améliorés car un nombre moins important de véhicules auront besoin de parking.

Une route plus conviviale

Le covoiturage permet également de couper avec la monotonie des trajets en voiture lorsque l'on est seul au volant de sa voiture. Le covoiturage peut devenir une occasion de rencontre et de convivialité.

(« Les avantages du covoiturage – économique, écologique, convivial », *La communauté du covoiturage*, http://www.aide-covoiturage.com/presentation/avantage.html, dernier accès le 25 juin 2008)

C

Quels pourraient être, d'après vous, les principaux inconvénients du covoiturage ? Donnez quelques exemples.

D

Seriez-vous prêt(e) à adopter ce moyen de transport ? À partir de vos réponses aux questions précédentes, donnez votre point de vue en 150–200 mots.

Activité 4.3.3

A

Lisez le texte suivant et identifiez parmi les trois moyens de transport ci-contre celui auquel le « Cyclo » semble le plus apparenté.

Lyon a retrouvé le sourire

Le cyclopolitain, ou encore « Cyclo », né en mai 2003, est un nouveau moyen de transport pour lequel les Lyonnais se passionnent. Le Cyclo est en fait un tricycle de fabrication française, auquel on a ajouté un système électrique d'appoint qui lui permet de rouler jusqu'à 30km/h. Il peut transporter jusqu'à trois personnes à qui on ne demande qu'une somme modique au kilomètre. Le toit arrondi du Cyclo, sous lequel les passagers sont à l'abri du mauvais temps, offre un lieu d'échange et de convivialité très original. Les chauffeurs de Cyclo à qui l'entreprise fait appel sont en général des étudiants soucieux de rendre service aux gens et désireux de faire des rencontres intéressantes. Le but du cyclopolitain était de faire retrouver son sourire à la ville de Lyon. C'est aujourd'hui une mission accomplie !

1 La motocyclette

2 Le pousse-pousse

3 Le scooter

B

D'après vous, pourquoi le Cyclo a-t-il contribué à rendre son sourire à la ville de Lyon ? Donnez votre opinion en quelques phrases.

Activité 4.3.4 _____

A

Dans les phrases suivantes, notez le groupe de mots que remplace chaque pronom en caractères gras.

1 C'est un nouveau moyen de transport pour **lequel** les Lyonnais se passionnent.

2 C'est un tricycle **auquel** on a ajouté un système électrique d'appoint.

3 Il peut transporter trois personnes à **qui** on ne demande qu'une somme modique au kilomètre.

4 Le toit du Cyclo, sous **lequel** les passagers sont à l'abri des intempéries, est arrondi.

5 Les chauffeurs de Cyclo à **qui** l'entreprise fait appel sont en général des étudiants.

B

D'après les phrases ci-dessus, quel est le pronom relatif qui sert à remplacer un groupe de mots désignant des personnes ?

G4.6 Les pronoms relatifs composés

Les pronoms relatifs composés « lequel, laquelle, lesquels, lesquelles » servent à relier deux phrases pour en faire une seule. Ils remplacent un nom ou un groupe nominal qui fait partie des deux phrases, pour en éviter la répétition. Dans la phrase subordonnée, ce nom sera introduit par une préposition.

> C'est une bicyclette. + On a ajouté une remorque **à la bicyclette.**

> → C'est une bicyclette **à laquelle** on a ajouté une remorque.

Les pronoms relatifs composés remplacent un nom désignant une chose ou un animal. Ils se placent après le nom qu'ils remplacent et s'accordent en genre avec lui.

> Connaissez-vous la raison **pour laquelle** il a choisi le covoiturage ?

> Le vélo **avec lequel** je me déplace est déjà tout rouillé.

> Les champs **dans lesquels** nous campons cet été sont bien protégés du vent.

> J'ai fini par acheter deux paires de chaussures **entre lesquelles** je n'ai pas pu choisir.

Les pronoms relatifs composés peuvent aussi être associés à des locutions prépositionnelles se terminant par « de », telles que : « à côté de, à propos de, au cours de, autour de, près de », etc. :

> La maison **autour de laquelle** nous nous sommes promenés est très ancienne.

> Le village **près duquel** nous allons nous arrêter est assez pittoresque.

Les formes contractées

« Auquel » et « duquel » sont des formes contractées du pronom relatif composé « lequel » :

- « à + lequel » = auquel

> C'est un tricycle **auquel** on a ajouté un système électrique d'appoint.

- « de + lequel » = duquel

> L'arbre **duquel** l'oisillon est tombé a été planté il y a cent ans.

Les formes contractées se rencontrent également au pluriel : « auxquels, auxquelles, desquels, desquelles ».

À noter

Pour remplacer un nom renvoyant à une personne, on emploie plus souvent le pronom relatif simple « qui » avec une préposition :

> L'entreprise fait appel **à des chauffeurs.** + Les chauffeurs sont des étudiants.

> → Les chauffeurs **à qui** l'entreprise fait appel sont des étudiants.

> Jérôme s'est assis **auprès d'une femme blonde.** + La femme blonde était trop fardée.

> → La femme blonde **auprès de qui** Jérôme s'est assis était trop fardée.

Activité 4.3.5 _____

Complétez les phrases suivantes à l'aide d'un des pronoms relatifs composés dans l'encadré ci-dessous.

auquel • duquel • à laquelle • de laquelle • sous lesquels

Exemple

Le covoiturage de proximité, voilà un projet _____ il faut donner un avenir.

→ *Le covoiturage de proximité, voilà un projet* **auquel** *il faut donner un avenir.*

1 Très intéressant, le site de covoiturage _____ vous faites allusion !

2 Les grands arbres _____ nous nous sommes reposés sont centenaires.

3 Il faut absolument que l'entreprise _____ vous appartenez adopte le covoiturage !

4 La branche d'arbre _____ la pomme est tombée est chargée de fruits murs.

5 Le wagon de train _____ il est sorti était plein à craquer.

Le Cyclo

C4.4 Transports publics : tradition et innovation

Les transports publics dans les grandes villes françaises sont nombreux et variés : bus, trams, métro, et à Paris le RER et Francilien. La première ligne du métropolitain parisien a été mise en service le 19 juillet 1900. Les responsables du gouvernement de l'époque ont été incités à créer un chemin de fer souterrain pour répondre aux problèmes d'encombrement en surface (omnibus, tramways, voitures automobiles, etc.). Au fil des années, des autres villes ont suivi l'exemple de Paris, en construisant leur métro : Lyon (1974), Marseille (1977), Lille (1983), Toulouse (1993), Rouen (1994) et Rennes (2002).

Plus récemment, des efforts considérables ont été faits pour sensibiliser les Français à utiliser des modes de déplacements différents, pour remplacer la voiture individuelle en ville. Plusieurs villes ont ainsi retrouvé l'usage du tram. Les bus « propres », les parcs de rabattement, ou le covoiturage ont aussi fait leur apparition.

Dans le même temps, on assiste au grand retour du vélo. L'association Vélocité, par exemple, née à Angers en 2004, et membre de la Fédération française des usagers de la bicyclette, fait la promotion de son utilisation en milieu urbain et organise le prêt de vélos en ville. Encore plus innovateur, le concept de vélo-taxi, inspiré du pousse-pousse, a été créé par deux étudiants lyonnais en 2003. Conduit par un cyclonaute et baptisé « Cyclo », il a été lancé à Grenoble en 2006, à Nice en 2007 et s'est depuis propagé dans d'autres villes ; c'est ce que certains ont appelé la « vélorution » : la révolution par le vélo !

Villes propres

Maintenant vous allez parcourir les rues de Paris et de sa banlieue, et vous intéresser à la propreté des chaussées et des trottoirs. Vous apprécierez les changements positifs intervenus dans la capitale au cours des siècles. Au passage, vous vous familiariserez avec différents niveaux de langue.

Activité 4.3.6

A

Regardez les photos ci-dessous et écrivez pour chacune une légende explicative de 20 mots maximum.

2

1

3

B

À l'aide d'un dictionnaire, trouvez cinq synonymes possibles pour le mot « déchets ».

Activité 4.3.7

A

Lisez le blog suivant et notez ce qui le différencie d'un texte en français courant, en termes de style et de vocabulaire.

mimi-de-mars écrit :

Alors nous, on est allés à Lyon avec des potes ce week-end et on a essayé le nouveau Cyclo... Ouah... c'est trop génial, ce truc ! Bon, au début ça fait un peu zarbi de se faire balader en vélo par un mec qui pédale comme un fou pendant qu'on est assis cool-Raoul derrière lui, à rien faire... La honte ! Mais bon, on lui a demandé s'il était OK et il a dit que ça le dérangeait pas, que ça lui musclait les jambes et qu'il aimait bien rencontrer plein de gens nouveaux comme ça... Au final, on s'est bien éclatés et en plus on s'est fait un nouveau pote !

Posté le 20/05/08 à 00:15

Vocabulaire

des potes (fam.) des camarades, des copains

zarbi (fam.) bizarre (en verlan, pratique qui inverse les sons ou les syllabes d'un mot)

cool-Raoul (fam.) calme, décontracté

on s'est bien éclatés (fam.) on s'est bien amusés

B

Réécrivez le message du blog en français plus courant.

O4.4   Les niveaux de langue

L'activité sur laquelle vous venez de travailler vous a donné l'occasion de discerner différents niveaux de langue. On distingue généralement trois niveaux de langue :

1   Le français courant...

  (a)   respecte les règles de grammaire et présente un vocabulaire standard ;

  (b)   est utilisé à l'écrit et à l'oral. Par exemple :

    J'en ai assez de tes mensonges !

2   Le français familier...

  (a)   ne respecte pas toujours les règles de grammaire du français courant. Par exemple, à la forme négative, le « ne » disparaît, comme dans cette phrase :

    J'ai pas pu recycler mes déchets cette semaine.

    Le lexique utilisé est parfois différent du français courant, et inclut l'utilisation de mots argotiques.

  (b)   est utilisé plutôt à l'oral ou dans des formes d'écrits plus familières (par exemple blogs, emails, etc.) et avec des interlocuteurs que l'on connaît bien (famille, amis, collègues). Par exemple :

    J'en ai marre de tes salades ! (= J'en ai assez de tes mensonges)

3   Le français formel...

  (a)   respecte les règles de grammaire et se reconnaît essentiellement à son vocabulaire recherché, composé de mots précis, spécialisés, rares ou archaïques, et à ses constructions de phrases complexes.

(b) est surtout utilisé à l'écrit, dans des textes littéraires ou spécialisés, et à l'oral dans des contextes formels. Par exemple :

> Je ne peux plus supporter tes propos mensongers ! (= J'en ai assez de tes mensonges)

La plupart des mots ont au moins un synonyme dans chacun des trois niveaux de langue :

Courant	Familier	Formel
voiture	bagnole	automobile
maison	baraque	résidence
manger	bouffer	s'alimenter
abîmer	esquinter	dégrader
fatigué	crevé	exténué

Activité 4.3.8

A

Pour chacune des phrases suivantes rédigées en français formel, retrouvez la phrase rédigée en français courant qui lui correspond.

1   La ville met en place de nombreux moyens pour améliorer la propreté des rues.

2   Les riverains sont invités à ne pas salir les trottoirs, sous peine d'amende.

3   La collecte des déchets volumineux est désormais mieux organisée en banlieue.

4   La lutte contre les déjections canines est devenue prioritaire.

5   Les Parisiens, leur arrondissement et le Maire de Paris sont partenaires et se sont fixé des objectifs concrets pour une capitale encore plus propre.

(a) Les habitants de Paris et leurs élus se sont mis d'accord pour améliorer la propreté de leur ville.

(b) De nos jours, on est mieux organisé pour ramasser en banlieue les gros objets abandonnés sur le trottoir.

(c) Le plus important est d'empêcher les chiens de salir la ville.

(d) Si les habitants du quartier salissent les trottoirs, ils devront payer.

(e) La mairie fait de gros efforts pour nettoyer les rues.

B

Réécrivez les phrases suivantes en français courant, en vous aidant éventuellement d'un dictionnaire.

1   L'ameublement déposé est ensuite pris en charge dans la demi-journée. (formel)

2   À force de rouler, j'ai esquinté ma bagnole ! (familier)

3   Le tram, il va vite, il est super beau, c'est trop bien. Comme il fait pas de bruit, va falloir faire attention quand il arrive ! (familier)

4   Toutes ces mystifications à propos de l'écologie, cela dépasse la mesure ! (formel)

Activité 4.3.9

A

Lisez le texte suivant, extrait d'une affiche écrite par les habitants d'un quartier de Paris et expliquez en quelques mots pourquoi ces habitants ont décidé de réagir.

Propreté : Protégeons notre environnement !

Malgré la mise en place de canisettes, le renouvellement de contrat de nettoyage de la SITA, les nombreuses interventions des [pouvoirs publics], **notre quartier est toujours très sale**.

Nous sommes nombreux à déplorer les sacs, déchets multiples, encombrants et déjections, voitures épaves qui polluent notre quartier. Nous nous attelons à équiper le quartier de plus de poubelles fixes (déjà une de plus à la passerelle avenue Anatole France, et d'autres en prévisions) et à demander plus de canisettes. Mais nous n'aurons pas plus de nettoyage (question de budget).

Alors il nous faut réagir ! La propreté est une affaire de civisme : nous avons tous un rôle à jouer. Pollueurs et Pollués, ce message est pour vous ! [...]

(Posté par Camille Vadon – présidente de l'association La Petite Garenne, « Propreté : protégeons notre environnement », *L'Echo*, no. 29, janvier 2006, http://lapetitegarenne.free.fr/echos/EchoJanvier2006sanstitre.ppt#2, dernier accès le 25 juin 2008)

Vocabulaire

SITA   Société industrielle de transport automobile, chargée de la collecte, du tri et de la valorisation des ordures ménagères à Paris

encombrants (m.pl.)   objets volumineux qui ne peuvent pas être jetés à la poubelle

voitures épaves (f.pl.)   voitures abandonnées qui ne sont plus en état de servir

nous nous attelons à   nous nous mettons à (faire quelque chose)

B

Lisez maintenant la suite du texte. Identifiez les verbes à l'impératif et donnez leur infinitif.

POLLUÉS : RÉAGISSEZ !

Voici quelques conseils pour améliorer la situation :

Papiers sur la voirie : ramassez-les et mettez-les dans votre poubelle ; c'est toujours ça de moins sur la voirie…

Déjections canines : faites de la prévention : abordez gentiment les propriétaires de chiens en leur demandant de respecter les trottoirs. Justifiez votre action par le fait que nous effectuons une campagne de sensibilisation sur le quartier. En cas de flagrants délits sous vos yeux, faites ramasser.

Si vous voyez une voiture déposer des détritus, relevez son numéro d'immatriculation. Téléphonez à la Police Municipale qui convoquera la personne, lui affligera une amende et viendra récupérer les dépôts.

Tags, dégradations diverse, dépôts sauvages : contactez SOS propreté.

(Posté par Camille Vadon, « Pollués : réagissez ! », *L'Echo*, no. 29, janvier 2006, http://lapetitegarenne.free.fr/echos/EchoJanvier2006sanstitre.ppt#2, dernier accès le 25 juin 2008)

Vocabulaire

flagrants délits   situations où on attrape quelqu'un en train de faire quelque chose d'interdit

C

Maintenant, sur le modèle des conseils donnés aux pollués, écrivez en 150 mots un autre message adressé cette fois aux pollueurs. Votre message contiendra des conseils à l'impératif sur les points suivants :

1   Le respect de la voie publique

2   Le rappel de la loi

3   Les déjections canines

4   La propreté des trottoirs

5   Le ramassage des encombrants

6   Les voitures épaves

Nous avons commencé le message pour vous :

POLLUEURS !

Sachez que la pollution sur la voie publique est passible d'amende ! ...

Activité 4.3.10

A

Lisez le texte ci-dessous et identifiez les mots qui évoquent la saleté.

Pendant longtemps, les Parisiens ont jeté leurs déchets sur la voie publique ou dans les fossés. C'est grâce à ces déchets, qui se sont fossilisés, que l'on peut reconstituer les modes de consommation des Parisiens depuis deux mille ans. Merci les déchets, témoins du passé !

Prenons quelques instants pour tourner les pages de l'histoire de Paris, la fameuse « Ville Lumière ». Ce retour en arrière nous montre que la Capitale n'a pas toujours été aussi belle qu'on veut bien nous le faire croire.

En voici quelques exemples :

En 1184, Philippe Auguste souhaite lutter contre la marée montante des ordures dans Paris en commandant le pavage des rues de la cité. Quatre cents ans plus tard, seulement la moitié des rues est pavée.

Louis XII décide en 1506 que la royauté se chargera du ramassage des ordures et de leur évacuation. À la taxe prévue pour ce service s'ajoute celle destinée à financer l'éclairage axial des rues. La taxe prend le nom de « taxe des boues et des lanternes ». L'hostilité générale

enterra cette ordonnance pour longtemps.

En 1750, Rousseau quitte la Capitale en la saluant par un « Adieu, ville de boue ! ». Il est vrai que Paris était connu depuis longtemps sous ce vocable puisque Lutèce vient du latin *lutum* qui signifie boue.

En 1799, une ordonnance de police impose aux propriétaires et locataires parisiens de balayer chaque jour devant leur logis.

En mars 1883 est créée une taxe spécifique « balayage ». Au même moment, les découvertes de Pasteur se révèlent décisives dans l'histoire de l'hygiène. C'est aussi la période des grands travaux, entrepris par Haussmann, qui transforment le paysage urbain parisien.

Le 24 novembre 1883, Eugène Poubelle, préfet de la Seine, signe le fameux arrêté qui oblige les propriétaires parisiens à fournir à chacun de leurs locataires un récipient muni d'un couvercle. Ainsi naissent les poubelles.

Le préfet Poubelle avait tout prévu : dimension et contenance des boîtes. Il avait même imaginé la collecte sélective. Trois boîtes étaient obligatoires : une pour les matières putrescibles, une pour les papiers et les chiffons, et une dernière pour le verre, la faïence ou les coquilles d'huîtres ! Ce nouveau règlement ne fut que partiellement respecté. Concernant le tri, plus d'un siècle après, on le redécouvre. […]

(Planète Écho – Association d'éducation à l'environnement et au développement durable, « Histoire des déchets parisiens : de Lutèce à la révolution industrielle », d'après *L'écologuide de Paris*, 2002, http://pageperso.aol.fr/planeteeco/CollecteParis/EugenePoubelle.html, dernier accès le 25 juin 2008)

Vocabulaire

l'éclairage axial (m.) les lumières formant une ligne le long de la rue

des lanternes (f.pl.) des lumières de rue

B

Parmi les exemples donnés dans la chronologie du texte, quels sont les deux mesures significatives qui ont été marquantes et qui font toujours partie du quotidien de notre époque ?

C

Relisez les phrases suivantes et expliquez ce qui peut paraître surprenant du point de vue du temps des verbes.

1 En 1184, Philippe Auguste souhaite lutter contre la marée montante des ordures dans Paris.

2 Le 24 novembre 1883, Eugène Poubelle, préfet de la Seine, signe le fameux arrêté qui oblige les propriétaires parisiens à fournir à chacun de leurs locataires un récipient muni d'un couvercle. Ainsi naissent les poubelles.

3 En 1750, Rousseau quitte la Capitale en la saluant par un « Adieu, ville de boue ! ».

G4.7 Utiliser le présent pour raconter au passé

Dans le texte précédent, l'auteur choisit d'utiliser à plusieurs reprises le présent de l'indicatif pour exprimer des événements clairement survenus dans le passé :

> En mars 1883 **est** créée une taxe spécifique « balayage ». Au même moment, les découvertes de Pasteur **se révèlent** décisives dans l'histoire de l'hygiène.

> Le 24 novembre 1883, Eugène Poubelle, préfet de la Seine, **signe** le fameux arrêté...

Si nous réécrivons ces phrases en utilisant les temps conventionnels du passé on obtient :

> En mars 1883 **a été** créée une taxe spécifique «balayage». Au même moment, les découvertes de Pasteur **se révélaient** décisives dans l'histoire de l'hygiène.

> Le 24 novembre 1883, Eugène Poubelle, préfet de la Seine, **a signé** le fameux arrêté.

Ainsi, on constate que pour exprimer une action au passé, le présent peut aussi bien remplacer l'imparfait que le passé composé, dans des phrases à la forme active ou même passive. Par exemple, dans les phrases précédentes :

- « se révèlent » devient « se révélaient » et « signe » devient « a signé » (forme active)

- « est créée » devient « a été créée » (forme passive)

L'utilisation du présent de l'indicatif permet de rattacher plus étroitement au présent le récit d'événements passés. Il facilite aussi l'identification des lecteurs aux personnages ou à l'action du récit. Il rend le discours plus vivant. On peut utiliser cette technique dans les récits écrits ou à l'oral.

> J'étudiais à cette époque aux Etats-Unis. Un jour, une étudiante me **croise**. On **se regarde**, on **est** tous les deux bouleversés. Sans le savoir, j'avais rencontré la femme de ma vie.

Activité 4.3.11

Dans les phrases suivantes, remplacez les verbes au présent par des verbes au passé composé ou à l'imparfait selon le contexte.

1   En 1750, Rousseau quitte la Capitale une bonne fois pour toutes en la saluant par un « Adieu, ville de boue ! ».

2   À l'époque, une ordonnance de police impose aux propriétaires et locataires parisiens de balayer chaque jour devant leur logis.

3   En 1184, Philippe Auguste souhaite lutter contre la marée montante des ordures dans Paris en commandant le pavage des rues de la cité.

Le recyclage tous azimuts

Les activités suivantes vous permettront de retrouver les gestes favorables à l'environnement : tri des déchets, recyclage, et adoption du cabas.

Activité 4.3.12

À partir des quatre photos ci-dessous et de votre propre expérience, faites une liste des matières et objets qui sont en général recyclables.

15 canettes en métal recyclées = 1 kilo de CO_2 en moins

Trier, c'est préserver

cartons et journaux - magazines

tenus de reprendre les anciens appareils lors d'un nouvel achat, et les commerçants doivent mettre à la disponibilité de leurs clients des bacs de recyclage destinés à recevoir les piles.

Le recyclage des déchets électroniques et informatiques a fait l'expérience d'un démarrage difficile en 2007. Si des villes comme Paris, Dijon, Lille, Nantes ou Strasbourg recyclent déjà leurs vieux ordinateurs, ou organisent la collecte des anciens appareils électroménagers, d'autres ont plus de difficultés à appliquer la loi, car même si c'est le producteur qui est responsable de l'enlèvement et du traitement des équipements électriques et électroniques en fin de vie, c'est la collecte des déchets qui coûte le plus cher.

Activité 4.3.13

A

Lisez la liste de huit engagements écologiques ci-dessous et classez-les en fonction de vos priorités personnelles puis expliquez votre choix en un paragraphe. Écrivez 150–200 mots.

1 Je jette mes piles usagées dans des conteneurs prévus à cet effet.

2 Je récupère l'eau de pluie.

3 Je choisis des sacs réutilisables pour faire mes courses.

4 Je fabrique du compost avec mes épluchures de fruits et légumes.

5 J'économise l'eau en contrôlant l'usage de ma chasse d'eau.

6 J'achète plutôt des produits régionaux, de saison, s'il y a le choix.

7 J'utilise du papier recyclé pour écrire mes lettres ou emballer mes objets.

8 Je réduis ma consommation de lessives et de détergents.

C4.5   Recyclage : à l'écoute de l'Europe

Les deux buts principaux du recyclage sont la réduction du volume des déchets produits et la préservation des ressources naturelles et de l'environnement. Il y a longtemps que le recyclage se pratique en France, avec plus ou moins de succès selon les endroits. Le tri du verre et des papiers est maintenant acquis, et depuis le 15 novembre 2006, la France a adopté une directive européenne qui l'oblige à collecter et recycler les déchets électriques et électroniques. Les fabricants d'ordinateurs ou de téléphones portables sont depuis cette date

B

Écrivez six conseils à l'impératif à partir des engagements personnels ci-dessus. Assurez-vous que les adjectifs possessifs correspondent aux impératifs choisis et que la construction des phrases reste correcte.

Exemple

Je jette mes piles usagées dans des conteneurs prévus à cet effet. (Tu)

→ *Jette tes piles usagées dans des conteneurs prévus à cet effet.*

Je récupère l'eau de pluie. (Vous)

→ *Récupérez l'eau de pluie.*

1 Je choisis des sacs réutilisables pour faire mes courses. (Nous)

2 Je fabrique du compost avec mes épluchures de fruits et légumes. (Tu)

3 J'économise l'eau en contrôlant l'usage de ma chasse d'eau. (Vous)

4 J'achète plutôt des produits régionaux, de saison, s'il y a le choix. (Nous)

5 J'utilise du papier recyclé pour écrire mes lettres ou emballer mes objets. (Tu)

6 Je réduis ma consommation de lessives et de détergents. (Vous)

Activité 4.3.14

A

Lisez le texte ci-dessous et répondez aux trois questions suivantes.

OBJET : DÉVELOPPEMENT DURABLE, FILETS À PROVISIONS EN COTON

J'ai créé mon entreprise dans le but de proposer une alternative aux personnes qui distribuent et qui utilisent les sacs plastiques.

Beaucoup de paroles et peu d'alternatives efficaces ont été proposées à la population dans ce domaine. J'ai choisi d'agir concrètement et j'ai créé une entreprise de distribution de filets à provisions. Je travaille avec un fabricant français.

L'enseigne de mon engagement et de mon entreprise est LA FILOCHE.

L'objectif : participer au remplacement radical des sacs plastiques distribués pour tout achat. Les grandes surfaces les ont remplacés ... par des sacs plastiques payants, et recommencent discrètement la distribution gratuite.

Je propose comme alternative LA FILOCHE, qui est le filet à provisions que nos parents utilisaient avec succès avant le plastique. D'une durée de vie de plusieurs années, 100% coton, LA FILOCHE ne tient pas de place dans une poche, dans le sac à main et dans le rangement d'un véhicule.

Les commerçants sont demandeurs : si on leur propose un contenant lors de nos achats, ils « gagnent » en ne distribuant plus de sacs plastiques et la nature est mille fois gagnante.

La ville de PARIS prend les devants dans cette lutte, elle veut mettre fin à la distribution des sacs dès cette année 2007, qui génère pour elle 8 000 tonnes de déchets par an. L'interdiction nationale n'étant prévue que pour 2010.

L'article est vendu par correspondance, courrier ou Internet, frais de port en fonction du nombre d'articles commandés. Plusieurs coloris disponibles : noir, jaune, rouge, écru, vert, bleu, orange, marron. Grande capacité. 4,50€ l'unité TTC ; de 5 à 15 pièces 3,70€ HT plus les frais de port LA POSTE suivant le poids de l'envoi.

Cordonnées de mon entreprise en haut de page.

Merci de votre attention et de votre engagement concernant le développement durable.

Sincères salutations.

Rédigé par : LA FILOCHE | le jeudi 26 avril 2007 à 16 h 40

(Jean-Luc Peyret, commentaire sur « Environnement : la maire de Puteaux, Joëlle Ceccaldi, distribue des milliers de sacs en plastique... », *MonPuteaux.com*, http://www.monputeaux.com/2005/08/environnement_I.html, dernier accès le 25 juin 2008)

Vocabulaire

TTC   toutes taxes comprises

HT   hors taxes

1   À quoi sert le produit vendu par l'entreprise La Filoche ?

2   Quels sont les principaux avantages de ce produit ?

3   Comment peut-on se procurer ce produit ?

B

Vous travaillez pour une chaîne de supermarchés et vous êtes chargé de faire la promotion d'un « écosac » 100% toile de jute, qui offre une alternative durable aux sacs plastiques jetables. Écrivez un texte de promotion d'environ 150 mots décrivant ce produit et vantant ses mérites et ses avantages pour l'environnement.

C4.6   Le retour du cabas

Jusque dans les années soixante, chacun faisait ses courses avec son cabas. Les sacs plastiques, non recyclables, ont été ensuite progressivement introduits et les Français les ont adoptés. Les centres de distribution Leclerc ont été les premiers, en 1995, à les supprimer. Cette initiative a encouragé d'autres magasins à amener leurs clients à se passer de sacs jetables et à revenir au cabas, ou à acheter sur place des sacs-cabas réutilisables sur une longue durée. Le 4 juin 2003, le ministère de l'Écologie et du Développement durable a engagé une action visant à réduire la distribution des sacs aux caisses. Une loi de décembre 2005 a ensuite fixé à 2010 la date à laquelle tous les sacs plastiques non biodégradables devront être interdits, suivant l'exemple de pays comme les États-Unis, l'Irlande, Taïwan et l'Afrique du Sud. Plusieurs villes, départements et territoires français ont choisi d'appliquer la loi avant la date fixée : la Corse ne distribue plus de sacs plastiques depuis août 2003 ; à Mayotte, les sacs plastiques à usage unique sont interdits depuis le 1 janvier 2006 ; et Paris a interdit l'usage de ces sacs dans ses grandes surfaces en 2007. Dans le même temps que disparaissaient les sacs plastiques, le cabas en tissu, en paille ou même en cuir a fait un retour spectaculaire jusque dans la mode. Le bon vieux panier en osier et la filoche (filet à provisions en coton) ont suivi. Depuis janvier 2008, on peut se procurer des cabas de jute auprès de son facteur.

Activité 4.3.15 _____

A

À partir de ce que vous avez lu dans cette session, faites une liste des gestes positifs pour l'environnement dans les domaines suivants :

1   Mode de transports

2   Recyclage et élimination des déchets

3   Hygiène publique

B

Pensez-vous que l'individu puisse avoir un réel impact sur la préservation de l'environnement ? Justifiez votre position en 350–400 mots, à partir des exemples que vous aurez rassemblés dans l'étape précédente.

Session 4 L'environnement à grande échelle

La lutte pour la préservation de l'environnement se situe sur une échelle à la fois globale et locale. Ce sont surtout les retombées de Tchernobyl, la mondialisation et une meilleure information sur l'état de la planète qui ont peu à peu amené le grand public et le gouvernement à cette prise de conscience. Préserver les ressources naturelles semble aujourd'hui au cœur des préoccupations de chacun. Ce souci se manifeste à l'échelon local, par exemple dans les efforts faits par les municipalités pour assurer la propreté des plages du littoral, mais aussi à l'échelon national et international, grâce à de nouvelles directives favorisant le développement durable et donnant la priorité à des sources d'énergie propre comme l'énergie produite par le vent (l'énergie éolienne). Cette session vous invite à élargir votre réflexion sur le rôle de la France dans la protection de l'environnement.

Points clés

- G4.8 Le plus-que-parfait
- G4.9 L'expression de l'ordre avec un nom ou un adjectif
- C4.7 De Kyoto à Grenelle
- C4.8 Les énergies renouvelables
- O4.5 Les expressions imagées – comparaison et métaphore

Activité 4.4.1

Regardez les trois photos suivantes et notez en quelques mots les questions d'environnement qu'elles évoquent pour vous.

1

2

3

Tout au bout, la plage

Vous allez d'abord vous pencher sur la question de la propreté des plages et de la protection du milieu marin. Ce sujet vous offrira l'occasion de découvrir deux chansons françaises, de pratiquer les figures de style et de travailler à la production de textes.

Activité 4.4.2

A

Lisez l'extrait de la chanson « Une petite plage » d'Alain Barrière et notez les mots qui font de cette plage un paysage idéal.

Une petite plage

Une petite plage bleue
Pleine de mer et de soleil
Une petite plage bleue
Et des enfants qui s'émerveillent
Une petite plage heureuse
Vivante et gaie sous le soleil
Une petite plage heureuse
Aux airs de paradis partiel
Où la mer doucement s'étire juste
avant de se retirer
Quand le commande la marée
Ces cris d'enfant et cette mouette s'accrochant
Sur le bas du ciel
Ces voiles blanches, cette fête
Ce bal à nul autre pareil
Cette paix bruyante et profonde des rires
Et des jeux de l'été [...]

(Alain Barrière, « Une petite plage », 1975, http://www.paroles.net/chanson/23446.1, dernier accès le 29 juin 2008)

Note culturelle

Alain Barrière   chanteur, auteur et compositeur français né le 18 novembre 1935

B

Notez quels sont, d'après vous, les effets produits dans ce texte par :

1. les répétitions ;

2. les phrases incomplètes ;

3. l'usage de l'article indéfini « une ».

C

Sur le modèle des huit premières lignes de la chanson, créez un autre texte descriptif pour évoquer un endroit ou un objet qui vous fait rêver (une forêt, un champ, une montagne, un terrain de foot, une maison, une voiture, etc.).

> Un(e) ...
> Plein(e) de ... et de ...
> Un(e) ...
> Et des ... qui ...
> Un(e) ...
> ... et ... sous ...
> Un(e) ...
> Aux airs de ...

Activité 4.4.3 _____

A

Lisez ci-dessous le texte de la chanson de Pierre Bachelet et notez trois références concrètes à des sources de pollution marine ou à leurs effets.

Le Testament de l'océan

Sur le sable blanc
La mer écrit son testament
Les licornes enchantées
Ne viendront plus nous ensorceler

Sur le sable blanc
La mer a trop d'éclats d'argent
De vagues en marées elle écrit pour nous le testament
De l'océan

Je vous avais donné
Les clefs de l'aquarium
Vous y avez jeté
Vos déchets d'uranium

Le monde il y a longtemps
Était naturel
Vous dansiez avec moi
Et l'eau était couleur aquarelle
Mais aujourd'hui s'achève
La vie sur cette grève

Sur le sable blanc
La mer écrit son testament
Les pétroliers barbares
Viennent y verser leur encre noire

Sur le sable blanc
La mer a trop d'éclats d'argent
De vagues en marées elle écrit pour nous le testament
De l'océan

Je vous avais donné
Les clefs de l'Antarctique
Et vous avez tué
Les chants de Moby Dick

Et tell'ment de baleines
Et d'aigles marins
Les vents des quarantièmes
Et les yeux tendres des dauphins
Et aujourd'hui s'achève
La vie sur cette grève

Si l'eau est trop salée
C'est des larmes versées mais en
vain
Sur le sable blanc
La mer n'a plus vraiment le temps
Elle ferme les yeux sur la dernière
page du testament
De l'océan

(Pierre Bachelet et Jean-Pierre Lang, « Le
testament de l'océan », 1991, http://www.
paroles.net/chanson/39619.1, dernier accès le
29 juin 2008)

Vocabulaire

les licornes (f.pl.) animaux mythiques,
chevaux blancs arborant une corne sur le
front. Ici, les licornes évoquent les rouleaux
des vagues sur la rive.

quarantièmes (f.pl.) latitudes situées entre
le 40e et 50e parallèle de l'hémisphère Sud,
réputées pour leurs vents violents

Notes culturelles

Pierre Bachelet (1944–2005) chanteur
et compositeur français, célèbre pour sa
chanson « Les corons » qui évoque le Nord et
l'univers disparu des mineurs de fond

Moby Dick cachalot blanc, héros du célèbre
roman d'aventure d'Herman Melville (1851)

B

Relisez les deux chansons et trouvez dans
chacun des textes des expressions qui font de la
plage et de l'océan des êtres vivants.

« Une petite plage »	« Le testament de l'océan »

C

Comparez en 100–150 mots les deux chansons à
partir des points suivants :

1   le vocabulaire utilisé et ce qu'il évoque pour
le lecteur ;

2   les couleurs et les images évoquées ;

3   les différences entre l'atmosphère de chaque
texte.

La mer a trop d'éclats d'argent

O4.5 Les expressions imagées

On a souvent recours à des expressions imagées pour donner une impression ou exprimer un sentiment. Pour cela, les figures de style les plus employées sont la comparaison et la métaphore.

1   La comparaison établit un rapport entre deux personnes ou objets :

(a) à l'aide du mot « comme » :

doux **comme** un agneau

blanc **comme** un linge

laid **comme** un pou

sérieux **comme** un pape

(b) à l'aide d'autres constructions :

une petite plage **aux airs de** paradis

un été qui **ressemblait à** un automne

un océan **pareil à** un tombeau

2   La métaphore consiste à placer un terme concret dans un contexte abstrait ou placer côte à côte deux termes venus de contextes différents, sans élément de comparaison.

(a) Nom d'objet inanimé + adjectif habituellement attribué à une personne :

une petite plage **heureuse**

(b) Nom d'objet inanimé + verbe (et complément) attribué(s) à une personne :

La mer **s'étire** doucement.

La mer **ferme les yeux**.

La mer **écrit son testament**.

Activité 4.4.4

A

Reconstituez les comparaisons suivantes :

1	sage	(a)	comme un bœuf
2	malin	(b)	comme un renard
3	rusé	(c)	comme un singe
4	fort	(d)	comme une image

B

Reconstituez les métaphores suivantes :

1	Le prix du pétrole	(a)	est pavé de bonnes intentions.
2	L'enfer	(b)	est la respiration de l'océan.
3	La marée	(c)	est une mine d'or.
4	Le fumier	(d)	s'envole.

La côte d'Azur est réputée pour son climat et ses paysages de cartes postales. Cependant ses eaux azurées sont aujourd'hui menacées. C'est ce que vous allez découvrir dans le texte suivant qui aborde la question de la vétusté de certaines stations d'épuration en Méditerranée.

Activité 4.4.5

A

Lisez le texte au verso et dites si les déclarations qui suivent sont vraies ou fausses d'après le texte. Corrigez les déclarations fausses.

Sur la Côte d'Azur, la mer en guise d'égout

En attendant d'être raccordées à Nice ou d'avoir une station d'épuration, Saint-Jean-Cap-Ferrat et Roquebrune-Cap-Martin rejettent leurs eaux sales en Méditerranée.

La carte postale est superbe. Les yachts de la jet-set croisent au large et les villas luxueuses surplombent la Méditerranée. Entre Nice et Menton, la côte revendique son nom : d'Azur. Sous l'eau pourtant, le spectacle est moins rutilant. Plusieurs communes dont Saint-Jean-Cap-Ferrat, Roquebrune-Cap-Martin, Èze ou encore Villefranche-sur-Mer déversent sans aucun traitement préalable leurs eaux usées à quelques encablures du bord de mer.

Depuis des années, c'est strictement interdit par la loi. Mais c'est ainsi, le résultat combiné d'un certain laxisme des autorités de l'État, et d'une totale désinvolture des élus. Un cas extrême, voire unique sur le littoral, qui illustre le retard pris par la France. Sur le seul bassin Rhône-Méditerranée, autrement dit de Perpignan à Menton en remontant jusqu'à Dijon, 56 stations d'épuration ne sont pas aux normes européennes. Or 22 sont en PACA, dont 19 sur le littoral ! « Les égouts, comme on ne les voit pas, tout le monde s'en fout », résume Marc Lafaurie, chargé de l'environnement à la communauté d'agglomération Nice-Côte d'Azur. C'est lui qui a hérité du dossier en 2002 lorsque le préfet des Alpes-Maritimes, très énervé de voir qu'il n'avançait pas, a décidé que ces petites villes seraient rattachées à Nice, à l'exception de Roquebrune-Cap-Martin qui construit sa propre station.

[…]

Après des années d'atermoiements, Roquebrune-Cap-Martin a décidé de construire sa propre station d'épuration à échéance 2010. L'État, qui prend à sa charge une partie des travaux via les agences de l'eau, s'est fait menaçant. Sa participation au projet, qui est de 30% en 2007, diminuera de 5% par an ensuite. La carotte et le bâton. Jusqu'à présent, l'État n'a rien trouvé de mieux pour contraindre les communes.

(Marielle Court, « Sur la Côte d'Azur, la mer en guise d'égout », *Le Figaro*, 14 octobre 2007, http://www.lefigaro.fr/france/20070620.FIG000000023_sur_la_cote_d_azur_la_mer_en_guise_d_egout.html, dernier accès le 18 juin 2008)

Vocabulaire

une station d'épuration une station où on recycle les eaux usées

PACA région Provence-Alpes-Côte d'Azur

la carotte et le bâton l'encouragement et la menace

		Vrai	Faux
1	Sur la Côte d'Azur, plusieurs villes déversent dans la mer leurs eaux usées.	☐	☐
2	Déverser des eaux usées sans traitement préalable est permis par la loi.	☐	☐
3	On a tendance à ignorer la pollution marine car elle est invisible.	☐	☐
4	La station d'épuration de Roquebrune est entièrement financée par la ville.	☐	☐

G4.8 Le plus-que-parfait

On forme le plus-que-parfait avec « être » ou « avoir » à l'imparfait et le participe passé d'un verbe.

> Nous **avions acheté** le journal le matin même.

> Elle nous **avait dit** de partir plus tôt.

> Je **m'étais levé** de bonne heure.

> Ils **étaient arrivés** en train.

Le plus-que-parfait situe l'action avant un moment du passé exprimé au passé composé ou à l'imparfait.

> Je lisais le journal que mon père **avait acheté** la veille.

> Elle a réussi à son examen, on lui **avait dit** qu'elle avait toutes ses chances.

Dans un récit le plus-que-parfait sert à décrire une action qui s'est déroulée avant les autres actions évoquées.

> Quand les secours sont arrivés, le pétrolier **avait sombré** depuis longtemps. (Le pétrolier a sombré avant l'arrivée des secours)

> Quand je suis arrivé, mon frère **avait** déjà **préparé** le dîner. (Mon frère a préparé le dîner avant mon arrivée)

> Toujours, il allait jouer une fois qu'il **avait terminé** ses devoirs. (Il jouait après la fin de ses devoirs)

Activité 4.4.6 _____

Dans les phrases suivantes, remplacez l'infinitif des verbes entre parenthèses par le passé composé ou le plus-que-parfait, selon le cas.

Exemple

Quand le garde-côte (arriver) _____, les pollueurs (partir) _____ déjà.

→ *Quand le garde-côte **est arrivé**, les pollueurs **étaient** déjà **partis**.*

1   Je (ne pas retrouver) _____ hier le chemin par lequel nous (venir) _____ en arrivant.

2   Il (terminer) _____ son travail depuis longtemps quand il (partir) _____ acheter le journal.

3   Je vous (donner) _____ les clefs de l'Antarctique et vous (tuer) _____ les chants de Moby Dick.

4   Roquebrune-Cap-Martin, qui jusque-là (rejeter) _____ ses égouts dans la mer, (décider) _____ le mois dernier de construire sa propre station d'épuration.

5   Quand la nouvelle loi (entrer en vigueur) _____, les producteurs (commencer) _____ déjà la collecte des piles depuis longtemps.

6   Cette commune (construire) _____ sa propre station d'épuration, parce que le conseil régional toujours (ne pas prendre) _____ de décisions à la dernière réunion.

Activité 4.4.7 _____

A

Lisez l'écriteau ci-dessous et dites s'il s'agit d'un ordre, d'un conseil ou d'une invitation. Commenter sur la construction grammaticale utilisée.

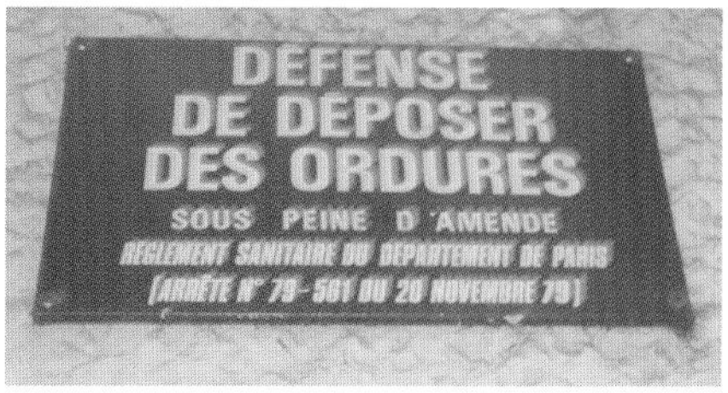

B

En utilisant la même construction, faites trois phrases à partir des dessins ci-dessous.

G4.9 L'expression de l'ordre avec un nom ou un adjectif

Dans la première session, vous avez vu qu'on peut exprimer l'ordre avec l'impératif ou l'infinitif. L'ordre peut aussi s'exprimer avec un nom ou un adjectif (ou participe passé) :

> **Défense** de jeter des ordures

> Tenue correcte **exigée**

1   Nom exprimant l'ordre + de + verbe exprimant l'objet de l'ordre.

Les noms les plus employés pour exprimer l'ordre sont « défense, interdiction, prière, merci » :

> **Prière de** respecter le silence des lieux

> **Interdiction de** traverser les voies

> **Merci de** ne pas fumer

2   Nom exprimant l'objet de l'ordre + adjectif ou participe passé exprimant l'ordre/la défense :

> Jeux de ballon **interdits**

> Douche **obligatoire**

Activité 4.4.8

Exprimez un ordre équivalent de trois façons différentes, à partir de la phrase suivante :

> Vous êtes invités à ne rien jeter sur la plage.

1   En utilisant un nom

2   En mettant le verbe à l'impératif

3   En mettant le verbe à l'infinitif

Activité 4.4.9

A

Lisez le texte ci-dessous et répondez aux questions qui suivent.

Le Pavillon Bleu

Le Pavillon Bleu est un label à forte connotation touristique, symbole d'une qualité environnementale exemplaire.

Créé par l'Office français de la fondation pour l'éducation à l'environnement en Europe en 1985, le Pavillon Bleu récompense et valorise chaque année les communes et les ports de plaisance, qui mènent de façon permanente une politique de recherche et d'application durable en faveur d'un environnement de qualité.

Cet écolabel permet de sensibiliser et de motiver les collectivités locales ou les gestionnaires de port de plaisance afin qu'ils prennent en compte le critère « environnement » dans leur politique de développement économique et touristique, en complément et en renforcement des directives nationales et/ou européennes obligatoires.

Garant d'une bonne qualité environnementale, le Pavillon Bleu hissé sur une commune ou un port de plaisance, véhicule une image positive dynamique auprès des résidents comme des visiteurs. En ce sens, il favorise aussi une prise de conscience générale envers un comportement plus respectueux de la nature et de ses richesses. Or, plusieurs études réalisées (Maison de la France, AFIT), montrent qu'une excellente qualité de l'environnement devient une valeur ajoutée dans le choix des destinations de vacances. C'est un critère considéré et de plus en plus apprécié par les touristes européens.

Le Pavillon Bleu est devenu une référence dans les domaines du tourisme, de l'environnement et du développement durable. Son succès est tel qu'il est désormais présent sur tout le territoire français, et que la FEE travaille d'ores et déjà à l'extension de ce label au reste du monde avec le Programme des Nations Unies pour l'Environnement et l'Organisation Mondiale du Tourisme. Le Pavillon Bleu est actuellement présent dans 37 pays du monde entier.

(« Le Pavillon Bleu », http://www.pavillonbleu. org/pavillon-bleu/of-feee/le-pavillon-bleu. html, dernier accès le 19 juin 2008)

Vocabulaire

Maison de la France organisme officiel de promotion du tourisme en France

AFIT Agence française de l'ingénierie touristique

la FEE la Fondation pour l'éducation à l'environnement

1 Que symbolise le Pavillon Bleu ?

2 Que récompense, en quelque sorte, le Pavillon Bleu ?

3 Quels sont les deux aspects bénéfiques qu'apporte le Pavillon Bleu aux communes et aux ports qui ont le droit de le hisser ?

4 Le Pavillon Bleu est-il une référence utilisée en dehors de la France ?

B

À partir du texte, expliquez en 100–150 mots quelle est la relation qui existe entre le Pavillon Bleu, la qualité de l'environnement, le tourisme et l'économie.

De la concertation à l'action

Le débat sur l'environnement est devenu un thème permanent dans les rencontres politiques en France quels que soient les partis. Dans les activités suivantes, vous allez prendre connaissance des principaux thèmes de réflexion qui ont animé cette grande concertation nationale baptisée le « Grenelle Environnement », initiée en 2007 sous la présidence de Nicolas Sarkozy.

Activité 4.4.10

A

Lisez ci-dessous quelques-uns des thèmes de discussion du Grenelle Environnement et reliez-les à l'un des six groupes de travail qui, selon vous, leur correspond le mieux.

1. Gérer le territoire pour préserver les écosystèmes et les capacités d'adaptation de la nature

2. Devenir un citoyen actif dans la gestion des crises environnementales

3. Intégrer environnement, développement économique et progrès social

4. Réduire les rejets polluants à caractère nocif dans tous les milieux

5. Consommer des produits issus de l'agriculture biologique

6. Changer les comportements pour diminuer les émissions de gaz à effet de serre

(a) Groupe 1 « lutter contre les changements climatiques et maîtriser la demande d'énergie »

(b) Groupe 2 « préserver la biodiversité et les ressources naturelles »

(c) Groupe 3 «instaurer un environnement respectueux de la santé »

(d) Groupe 4 « adopter des modes de production et de consommation durables : agriculture, agro-alimentaire, pêche, distribution, forêt, usage durable des territoires »

(e) Groupe 5 « construire une démocratie écologique : institutions et gouvernance »

(f) Groupe 6 « promouvoir des modes de développement écologiques favorables à l'emploi et à la compétitivité »

C4.7 De Kyoto à Grenelle

Depuis le Sommet de la Terre, tenu à Rio de Janeiro en 1992, la communauté internationale intensifie ses efforts pour améliorer sa gestion de l'environnement et lutter contre le réchauffement de la planète. Mais c'est la troisième conférence des Nations Unies sur les changements climatiques, tenue à Kyoto en décembre 1997, qui a vraiment mis en route le processus de collaboration internationale dans la gestion de l'environnement. Le protocole signé à Kyoto, entré en vigueur en février 2005 et sujet à des révisions périodiques, gouverne aujourd'hui les efforts de stabilisation et de réduction de la pollution environnementale et en particulier des gaz à effet de serre, responsables du processus de réchauffement climatique enclenché depuis cinquante ans. La France est l'un des rares pays industrialisés à avoir réussi, dès 2008, à réduire ses émissions à un niveau inférieur au plafond fixé par Kyoto, et se félicite des résultats obtenus. Elle souhaite cependant continuer ses efforts. C'est dans ce but que le gouvernement a créé, le 6 juillet 2007, le Grenelle Environnement, structure de concertation gérée par le ministère de l'Écologie, du Développement et de l'Aménagement durables. Le Grenelle Environnement a permis de dégager des propositions issues de six groupes de travail thématiques. Au fur et à mesure, des consultations publiques et des tables rondes permettent de dresser un plan d'action de mesures concrètes et quantifiables sur de nombreux sujets comme les transports, le changement climatique, la biodiversité et la gouvernance. Régulièrement, chaque table ronde doit livrer ses conclusions et principales décisions sur les thèmes dont elles sont responsables. Il s'agit alors de mettre en œuvre des mesures concrètes qui devront ensuite être appliquées selon la loi.

Le texte qui suit vous présente un exemple de mesure prise aux lendemains des propositions du Grenelle Environnement.

Activité 4.4.11 _____

A

Complétez le texte à l'aide des mots de l'encadré ci-dessous.

> augmenté • polluantes • neuves • gourmands • bien • très • baissé • moins

Automobiles : premier bilan

Six mois après son lancement, le bonus-malus sur l'achat d'automobiles _____ a bel et _____ favorisé les acquisitions de véhicules _____ polluants. Un ultime sursaut d'achat de voitures _____ _____ a toutefois été constaté avant la mise en place effective du bonus. Depuis, les ventes de modèles sobres ont _____ de 45% et celles des véhicules les plus _____ ont _____ de 40%. Les 4x4 et les monospaces ont particulièrement fait les frais de la mesure, qualifiée d'« électrochoc » par le ministre de l'Écologie, Jean-Louis Borloo. [...]

(Thomas Saintourens, « La fiscalité verte marque des points », *Le Figaro*, 18 juin 2008, http://www.lexpress.fr/actualite/environnement/la-fiscalite-verte-marque-des-points_513189.html, dernier accès le 26 juin 2008)

Vocabulaire

ont fait les frais de   ont été affectés par la mesure

Note culturelle

le bonus-malus   système de taxes sur l'achat de véhicules neufs, consistant à pénaliser ceux qui achètent des voitures rejetant beaucoup de CO_2 et récompenser ceux qui achètent des voitures plus écologiques. L'expression est habituellement utilisée dans le domaine des assurances où le bonus est une réduction de votre prime d'assurance si vous n'avez pas eu d'accident de la route ; et le malus est une augmentation de votre prime si vous avez eu des accidents.

B

Relisez le texte complet et résumez-le en 50–60 mots.

C

D'après vous, quel est le groupe de travail du Grenelle Environnement, parmi les six mentionnés dans l'activité 4.4.10, qui a recommandé la mise en place du « bonus-malus » ?

Applications : les énergies renouvelables

Pour réduire la pollution produite par les énergies fossiles (charbon, pétrole), la France a fait le choix de l'éolien (du nom du dieu grec Éole). En effet, elle possède le deuxième gisement éolien en Europe, après le Royaume-Uni. Ce choix ne fait pourtant pas l'unanimité. Dans cette dernière section, vous allez évaluer les arguments présents dans ce débat.

Activité 4.4.12

A

Classez les commentaires ci-dessous dans le tableau qui suit, selon qu'ils contiennent des arguments pour ou contre l'énergie éolienne.

1   C'est tellement beau un champ d'éoliennes qu'on dirait un site d'art contemporain !

2   Quand on aura compris qu'elles défigurent complètement le paysage, on cessera d'ériger des éoliennes n'importe où et on arrêtera leur prolifération !

3   C'est un véritable massacre quand des oiseaux migrateurs traversent un champ d'éoliennes...

4   À mon avis les éoliennes s'intègrent assez bien au paysage.

5   Moi, je n'entends absolument rien. Pourtant, j'habite dans le voisinage direct d'un parc éolien.

6   Un parc éolien, c'est un énorme investissement pour assez peu de résultats.

7   L'éolien produit moins de gaz à effet de serre que le charbon ou le pétrole.

8   En fait, les infra-sons que produisent les éoliennes peuvent provoquer des nausées et des migraines chez les riverains.

9   L'éolien, ce n'est pas rentable : s'il n'y a pas assez de vent, les hélices ne peuvent pas fonctionner et s'il y en a trop, ça ne marche pas non plus !

10   Quand nous aurons enfin installé ces éoliennes, nous pourrons accueillir plusieurs milliers de touristes qui viendront chaque été visiter le site.

11   Depuis l'ouverture du parc éolien, les commerces locaux profitent de l'augmentation du nombre de visiteurs.

12   Les éoliennes, ça crée un problème de réception pour la télévision.

Arguments en faveur de l'énergie éolienne	Arguments contre l'énergie éolienne

B

Parmi les arguments que vous venez de lire, lesquels relèvent des domaines suivants ?

(a)   Esthétique

(b)   Rentabilité

(c)   Economie

(d)   Qualité de la vie

(e)   Respect de l'environnement

C

Dans les phrases suivantes, expliquez la relation temporelle entre les actions exprimées par les verbes en caractères gras. Vous pouvez revoir les encadrés G4.3 et G4.4 si c'est nécessaire.

1   Quand on **aura compris** qu'elles défigurent complètement le paysage, on **cessera** d'ériger des éoliennes n'importe où et on **arrêtera** leur prolifération !

2   Quand nous **aurons** enfin **installé** ces éoliennes, nous **pourrons** accueillir plusieurs milliers de touristes qui **viendront** chaque été visiter le site.

Activité 4.4.13

Complétez les phrases suivantes à l'aide du futur antérieur ou du futur simple selon le contexte. Revoyez les encadrés G4.3 et G4.4 si c'est nécessaire.

1 Quand l'énergie solaire (remplacer) _____ le pétrole, la couche d'ozone (être) _____ sûrement en meilleur état !

2 Lorsque nous (diminuer) _____ nos émissions de gaz à effet de serre, le réchauffement climatique (ralentir) _____ peut-être sa progression.

3 Dès que vous (signer) _____ la pétition nous (pouvoir) _____ la déposer à la mairie.

C4.8   Les énergies renouvelables

Ce sont des énergies naturelles inépuisables mais parfois intermittentes. Autrefois exploitées, elles ont retrouvé leur place dans l'industrie, pour contrer les effets polluants de l'exploitation des énergies fossiles (charbon, gaz, pétrole) et fissiles (nucléaire). Elles comprennent :

• l'éolien (vent)

• l'énergie solaire

• la géothermie ou exploitation de la chaleur de la terre

• la biomasse, provenant des plantes et matières organiques

• l'énergie hydraulique, produite par l'eau des barrages

• l'énergie hydroélectrique ou marémotrice

Activité 4.4.14

A

Lisez l'article ci-dessous et répondez aux questions qui suivent.

L'éolien en procès

Pollution visuelle, bruit, coûts... Accusées de toutes parts, les éoliennes se défendent et gagnent du terrain en France.

Malgré ses 120 mètres de haut, l'éolienne ne fait pas la fière dans le box des accusés. Depuis plusieurs mois, elle est suspectée, en vrac, de se reproduire en dépit du bon sens en défigurant nos paysages, d'être à la solde de lobbys, de ne jamais tourner, de faire trop de bruit, et de ne pas servir à grand-chose. Côté accusation, des associations de riverains ou de défense des paysages, des élus, surtout de droite. Avec, comme figure de proue, l'ancien président Valéry Giscard d'Estaing [...]. En défense, la filière industrielle, où l'on retrouve la plupart des géants de l'énergie mais aussi nombre de PME, l'État, via l'Ademe (Agence de l'environnement et de la maîtrise de l'énergie) et la plupart des associations écolos. Compte rendu d'un procès passionnel où s'affrontent deux camps s'accusant mutuellement de mensonges et de manipulations.

Ça se reproduit comme des lapins

L'accusation. « Dire que la France est en retard, ça m'agace souverainement », tempête Jean-Louis Butré, président de la Fédération environnement durable, en pointe dans le combat « antiéolien industriel ». « Ça pousse de partout. » C'est un fait, la production d'énergie éolienne explose : + 80% entre 2006 et 2007, une multiplication par dix en cinq ans.

La défense. Ça flambe, certes, mais comme on part de trois fois rien, la part dans la production d'électricité reste marginale. Selon le gestionnaire du Réseau de transport d'électricité (RTE), 4 terawatt heures ont été produits l'an dernier par environ 2 000 éoliennes. Soit moins de 1% de la production totale, très majoritairement nucléaire. Mais la tendance à l'expansion est là, poussée par les objectifs européens (23% d'énergies renouvelables en France en 2020) et le Grenelle de l'environnement. « Au sein de cet objectif, le Grenelle prévoit que l'éolien doit représenter environ 5% de la consommation totale d'énergie, soit 10% de la consommation électrique », détaille André Antolini, président du Syndicat des énergies renouvelables (SER), qui représente les industriels de la filière. « Notre chance, c'est qu'en démarrant plus tard que nos voisins allemands ou espagnols, on installe des machines beaucoup plus performantes. » Objectif annoncé, au moins 10 000 éoliennes dans douze ans. « On n'est pas en dehors des clous, mais il faut un peu accélérer le rythme actuel si on veut tenir ces objectifs », ajoute Jean-Louis Bal, directeur des énergies renouvelables à l'Ademe. […]

Ça va défigurer la France

L'accusation. Le paysage, voilà le débat passionnel, le plus subjectif, le plus sentimental. Et là, c'est Valéry Giscard d'Estaing qui est monté au créneau dans le *Point*, en avril, en réclamant un moratoire, pour éviter « que le puissant lobby germano-danois des éoliennes s'attaque à la campagne française depuis la haute Auvergne jusqu'à Chartres ». Jean-Louis Butré n'hésite pas à parler de « massacre de paysages », évoquant le spectre de « châteaux avec des éoliennes derrière ». Nicolas Sarkozy lui-même, dans son discours de clôture du Grenelle, avait fait part de ses réticences esthétiques. Ce n'est d'ailleurs pas innocent si les associations les plus mobilisées contre les éoliennes sont celles de défense des paysages ou du patrimoine.

La défense. « Depuis qu'on a lancé le développement à grande échelle, l'éolien est critiqué par une minorité très influente », tente de tempérer Jean-Louis Bal. « Mais tous les sondages qu'on a fait montrent que la perception est très positive, y compris, et même davantage auprès des riverains, qui voient que ce n'est pas forcément moche, que ça ne fait pas de bruit, que ce ne sont pas des hachoirs à oiseaux. » Nicolas Paul-Dauphin, d'Eolfi, renchérit : « C'est assez bien reçu dans les campagnes. L'idéal, ce sont les zones de grandes cultures. Les habitants voient plutôt ça d'un bon œil, ce sont souvent ceux qui ont des résidences secondaires qui sont contre. » Et raconte que, dans la Somme, il a fallu déplacer une éolienne de quelques mètres car on en voyait le sommet depuis le haut de la cathédrale d'Amiens… à 30 kilomètres. André Antolini conclut : « Dix mille machines ce n'est pas monstrueux du point de vue de l'occupation du territoire. On ne va pas couvrir la France d'éoliennes. » Quant à Jean-Louis Borloo, il voit surtout dans ce débat l'illustration du syndrome Nimby (*not in my backyard*, pas dans mon arrière-cour), le même qu'on voit resurgir sur le développement du TGV.

Alors, le verdict ?

La bataille des éoliennes rejoue-t-elle la guerre des anciens contre les modernes ? « Quand on s'oppose, on est un vieux con », déplore Jean-Louis Butré. « C'est peut-être un clivage générationnel », avance André Antolini. Au risque d'adopter une posture un peu « oui mais », on voit mal comment la France pourrait atteindre ses objectifs de renouvelables sans recourir (entre autres, et pas en premier) aux éoliennes. Et on cherche encore en quoi ces grands mâts plantés le long d'une autoroute ou en bordure d'un champ peuvent porter atteinte au paysage, même si le débat sur l'élégance de la machine est toujours susceptible de mettre le feu à un dîner (c'est vrai, il n'est pas nécessaire d'en parsemer sur des sites remarquables). D'autant qu'une éolienne, ça se démonte quasiment avec un tournevis quand on n'en a plus besoin, ce qui permet de changer d'avis. Cela dit, elles ne sont pas plantées sur notre balcon, et on ne sauvera pas le climat en se contentant d'en planter partout. Le jugement a été mis en délibéré jusqu'en 2020.

(Guillaume Launay, « L'éolien en procès », *Libération*, 13 juin 2008, http://www.liberation.fr/actualite/ evenement/evenement1/331770.FR.php, dernier accès le 20 juin 2008)

Vocabulaire

on n'est pas en dehors des clous   ici, on n'est pas en retard (sur l'échéancier)

est monté au créneau   a défendu ses positions

un moratoire   un délai, un sursis

porter atteinte à   nuire à

a été mis en délibéré   a été confié aux juges pour qu'ils prennent une décision

1   D'après le texte, quels sont les principaux groupes qui s'opposent au développement de l'éolien ?

2   Dans ce débat, de quel côté se situe la Fédération environnement durable ?

3   En France, l'électricité est produite à partir de quelle source d'énergie, principalement ?

4   Quel avantage sur l'Allemagne et l'Espagne semble avoir la France en matière d'équipement en éoliennes ?

5   Parmi les arguments contre le développement de l'énergie éolienne quel est celui qui semble le plus subjectif ?

6   D'après l'auteur de l'article, le développement des parcs éoliens pourra-t-il résoudre le problème du réchauffement climatique ?

B

Parmi les arguments suivants contre les éoliennes, quels sont les deux qui sont précisément avancés, dans l'article, par le côté de l'accusation ?

1   Les éoliennes font beaucoup de bruit.

2   Le nombre des sites propices à l'installation des éoliennes est minime.

3   Le coût du raccordement au réseau rend les éoliennes peu rentables.

4   Les éoliennes prolifèrent de partout.

5   Les éoliennes perturbent le fonctionnement des radars météorologiques.

6   Les éoliennes sont des hachoirs à oiseaux.

7   Les éoliennes ne génèrent pas beaucoup d'électricité.

8   Les éoliennes défigurent le paysage.

9   Les éoliennes produisent des infrasons et des ultrasons nuisibles à la santé.

Activité 4.4.15

Parmi les arguments pour ou contre les éoliennes présentés par les textes des activités précédentes, lesquels vous semblent les plus convaincants ? Expliquez pourquoi et donnez votre opinion sur la question en 500 mots maximum.

Session 5 Révision

Voici une liste des principaux points que vous avez étudiés tout au long de cette unité.

Cochez la case correspondante pour indiquer si vous vous sentez vraiment capable de les mettre en pratique.

Si vous n'êtes pas sûr(e) de pouvoir mettre en pratique certains de ces points, revoyez les points clés correspondants et refaites les activités qui leur sont associées.

Je sais...	Oui	Non	Points clés	Activités
Utiliser l'impératif	☐	☐	• G4.1 L'usage et la formation de l'impératif	• 4.1.8
Utiliser l'infinitif pour donner des instructions	☐	☐	• G4.2 L'usage de l'infinitif dans les instructions	• 4.1.9
Rédiger un courriel	☐	☐	• O4.1 Rédiger un courriel en respectant la « nétiquette »	• 4.1.5
Parler d'actions au futur	☐	☐	• G4.3 Les temps du futur	• 4.2.5
			• G4.4 L'utilisation du futur dans les phrases avec « si » et avec « quand »	• 4.2.6
Se servir du présent pour parler du passé	☐	☐	• G4.7 Utiliser le présent pour raconter au passé	• 4.3.11
Présenter des actions dans le passé en utilisant le plus-que-parfait	☐	☐	• G4.8 Le plus-que-parfait	• 4.4.6
Employer les figures de style	☐	☐	• O4.5 Les expressions imagées – comparaison et métaphore	• 4.4.4

Corrigés

Session 1

Activité 4.1.1

A

1–(a); 2–(c); 3–(e); 4–(d); 5–(b)

B

Voici une réponse possible :

> Pour moi, c'est l'image d'un petit troupeau de vaches à l'aise dans leur pâturage, qui évoque avec le plus d'intensité la paix de la montagne en été. Je ne suis pas de ceux qui sont attirés par le tohu-bohu des stations de ski sous la neige. Je préfère la lourde chaleur d'un après-midi de canicule où, loin des pistes et de la laideur des remontées mécaniques momentanément abandonnées, le silence n'est interrompu que par le meuglement des vaches et le tintement de leurs clochettes.

Activité 4.1.2

A

1–(a); 2–(c); 3–(c); 4–(b)

B

2, 3, 4

C

Voici une réponse possible :

> La photo montre un homme en train de prendre des photos dans un massif montagneux. Un de ses passe-temps est probablement la photographie et il profite des beautés naturelles du site où il se trouve pour pratiquer son loisir. Les paysages grandioses, qui l'entourent conviennent parfaitement à ce type de loisirs.

Activité 4.1.3

A

1 Vrai.

2 Vrai.

3 Faux. (L'association « dispose d'une équipe de personnes qualifiées »)

4 Vrai.

5 Faux. (C'est une association humaniste et écologiste. Elle existe pour sensibiliser les gens à l'environnement : « les CPIE sont des associations au service d'une gestion humaniste de l'environnement »)

B

Nous avons classé les exemples de façon suivante :

1 (c), (e)

2 (b), (f), (j)

3 (d), (h)

4 (a), (g), (i)

C

Voici ce que vous auriez pu écrire :

> Il est important de sensibiliser le public à la nature et à l'environnement. Le mieux pour cela est d'organiser des activités convenant à des groupes d'âge définis. Je pense organiser des randonnées à thème (bergers et troupeaux – flore de montagne – papillons – oiseaux) sur le plateau le week-end au printemps et en été, les unes plus faciles, pour les enfants, les autres plus difficiles, avec de la marche, pour les adultes. On pourrait aussi organiser des sessions de formation dans les écoles, pour apprendre aux enfants ce qu'est le développement durable. En automne, les cueillettes de

champignons encadrées par l'association locale de mycologie auront certainement du succès. En hiver, des randonnées en ski de fond et en raquettes attireront ceux qui veulent explorer la montagne.

Activité 4.1.4

A

Plusieurs aspects des deux textes sont caractéristiques des courriels plutôt que des lettres formelles :

- l'identification au tout début du sujet de la communication ;

- l'extrême concision, le ton concret et l'approche directe des deux textes ;

- l'absence de formules de politesse ;

- l'en-tête très informelle du premier texte.

B

Voici ce que vous auriez pu écrire :

> Le second courriel me semble plus convaincant. La personne a choisi un titre clair, donne des détails qui correspondent à sa demande, et écrit en français courant, légèrement formel comme il convient à ce genre de courriel. La première personne a mal choisi son titre, et écrit dans un style beaucoup trop familier. Son courriel donne une impression d'amateurisme. Il n'y a pas de nom de famille à utiliser pour lui répondre.

Activité 4.1.5

Voici une réponse possible :

Sujet : dernières informations sur le stage

Cher bénévole, la date du stage approche. Voici un rappel des objets à emporter. D'abord votre lettre d'invitation et votre carte d'identité. Vous serez dehors la plupart du temps :

munissez-vous donc de vêtements confortables et qui ne craignent pas la pluie, prenez des bottes, une paire de baskets et un imperméable. Un gilet sera utile pour les nuits fraiches. Si les journées sont assez chaudes, la température tombe vite le soir. Enfin, prenez des jumelles pour observer les animaux et votre guitare si vous en avez une pour le feu de camp traditionnel. À très bientôt.

Damien

Activité 4.1.6

A

1–(c); 2–(a); 3–(d); 4–(e); 5–(b)

B

1–(b); 2–(d); 3–(a); 4–(e); 5–(f); 6–(c)

C

1, 3, 5

D

Voici ce que vous auriez pu écrire :

> Je pense que le deuxième chantier est le plus bénéfique à l'environnement : la faune y est protégée, non seulement le tétras-lyre, mais aussi toutes les espèces qui vont bénéficier du nettoyage d'une ancienne prairie. La flore va aussi s'épanouir car il y aura plus de lumière et de diversité dans un espace plus ouvert. Le public bénéficiera des balades naturalistes et apprendra à mieux respecter la nature. Débroussailler la forêt est indispensable pour la conserver et la gérer, et à condition que le défrichage soit limité, j'estime que c'est un projet luttant contre le réchauffement de la planète.
>
> Je serais particulièrement intéressé(e) par un travail de bénévole dans ce chantier,

car je serais avant tout en contact avec la nature, mais cela me donnerait aussi l'impression de contribuer à la protection de l'environnement et donc de m'impliquer dans un projet utile. Ce poste de bénévolat me permettrait d'acquérir une connaissance à la fois pratique et théorique en matière d'environnement. Je pourrais aussi apprendre à faire des choses utiles, comme entretenir les parcs et débroussailler. Mais je ne me fais pas d'illusions, cela sera une expérience enrichissante mais pas facile !

Activité 4.1.7

A

La décision de construire une carrière à neige a été prise pour des raisons économiques.

B

1 dans la fuite en avant

2 ne font pas le poids

3 à flots ; loin s'en faut

4 à outrance

5 aller dans le mur

C

1 Faux. (L'enneigement artificiel est un moyen de « faire revenir les skieurs vers les pistes »)

2 Vrai.

3 Faux. (Le texte mentionne deux techniques d'enneigement artificiel : le canon à neige et la carrière à neige)

4 Vrai.

5 Faux. (La production de neige artificielle génère « une pollution des sols » et « un épuisement des ressources en eau »)

D

1 La carrière à neige a été préférée parce qu'elle attire des subventions.

2 Le ski de fond est moins fréquenté que par le passé.

3 Selon les experts, il faut pouvoir garantir un kilométrage maximal de pistes enneigées pendant toute la saison.

4 Selon l'auteur, l'eau n'est pas abondante dans le Vercors. Des pénuries sont déjà apparues dans certaines stations, suite au pompage excessif.

5 Personne n'a été consulté, il s'agit d'une décision unilatérale.

E

Avantages	Inconvénients
• Il fait venir les touristes • Il offre une sorte d'« assurance neige » aux stations de ski et à leurs visiteurs	• Il pollue les sols • Il épuise les ressources en eau potable • Sa production gaspille l'énergie

F

Réveillons-nous, réveillez-vous, il n'est pas inéluctable d'aller dans le mur. Nous pouvons parler, échanger, soupeser, débattre, agir. **Essayons** d'être de vrais citoyens [...]. Ce Vercors que l'on aime est un bien commun, **ne fermons pas** les yeux sur de tels projets ! **Remuons-nous** !

Activité 4.1.8

A

1 **Suis** les conseils qui **te** seront donnés.

2 **Prenez** des cours avant de **vous** lancer dans la nature !

3 Attention ! **Choisis** des pistes plus faciles !

B

1 **Lève-toi** tôt pour mieux gérer **ton** temps !

2 **Souvenez-vous** des accords signés l'an dernier !

3 **Réveillez-vous** à huit heures demain !

C

1 **Ne jetez rien** dans les près.

2 **Ne nous laissons pas** intimider par les autorités.

3 **Ne t'aventure pas** seul dans la grotte !

Activité 4.1.9

A

Tous les verbes sur les panneaux prennent la forme de l'infinitif.

B

- **Respecter** les autres.

- **Respecter** les débutants et **contrôler sa** vitesse, **ralentir** dans les zones de ski tranquille.

- **Ne pas stationner** à un croisement ou derrière une bosse. En cas de chute, **libérer** l'endroit le plus rapidement possible.

- **Céder** la priorité à tous ceux qui viennent de droite.

- En cas d'accident, **donner** l'alerte auprès des pisteurs secouristes ou de la remontée mécanique la plus proche. **Ne pas oublier** d'indiquer le nom de la piste et le numéro de la balise la plus proche.

Activité 4.1.10

Voici ce que vous auriez pu écrire :

Recette pour une station de ski plus fréquentée

Obtenir des subventions de la commune
S'équiper de canons à neige
Verser une bonne dose de neige artificielle
Ajouter des hôtels luxueux à prix abordables
Offrir des forfaits de ski gratuits pour les enfants
Prier pour avoir un hiver froid
Accueillir les touristes avec le sourire

Activité 4.1.11

A

1 Faux. (M. Frangialli est secrétaire général de l'Organisation mondiale du tourisme)

2 Faux. (Selon le texte, la saison 2007 a été « catastrophique »)

3 Faux. (À 1 200 mètres, Abondance est une station de basse altitude)

4 Vrai.

5 Vrai.

B

Voici ce que vous auriez pu écrire :

L'article sur la station Abondance dit tout haut ce que beaucoup pensent tout bas. Il y a des années que le réchauffement climatique menace les stations. Que font ces dernières pour survivre et échapper au sort de cette commune de Haute-Savoie ?

Les stations cherchent des solutions, et ont souvent opté pour les techniques d'enneigement artificiel, comme on l'a vu dans cette session. La plupart se reconvertissent et se lancent dans le tourisme toutes saisons, offrant randonnées et luge sur herbe, parcours VTT, bol de grand air pour citadins stressés, retraites studieuses pour patrons d'entreprises et classes vertes où les élèves du primaire et du secondaire découvrent la nature. Cette nouvelle offre répond aux souhaits d'une grande partie du public mais ne correspond pas forcément aux attentes des skieurs et amateurs de neige, qui risquent fort de partir chercher leur bonheur ailleurs. Le problème est qu'il va falloir aller chercher la neige de plus en plus loin. Mieux vaut se résigner à la perte des sports d'hiver !

Pour moi, l'économie de montagne ne devrait pas trop souffrir du réchauffement climatique si les municipalités s'adaptent et font preuve d'imagination. Si les amateurs de ski s'en vont chercher la neige ailleurs, les très nombreux citadins qui cherchent le contact avec la nature, le repos et le calme après le travail, et un air plus pur loin de la pollution des villes, continueront de venir en montagne.

Session 2

Activité 4.2.1

A

1–(d); 2–(e); 3–(c); 4–(a); 5–(b)

B

Arguments économiques : 1, 3 ,6

Arguments environnementaux : 2, 4, 5, 7, 8

Activité 4.2.2

A

1–(b); 2–(c); 3–(a); 4–(b); 5–(a)

B

La première est la meilleure parce qu'elle est plus exacte, plus complète et plus mesurée. La deuxième paraphrase est plus tendancieuse et contient plusieurs assertions discutables. Ce n'est pas vrai, par exemple, que seuls « les gens qui vivent près des aéroports » se plaignent de la pollution causée par les transports aériens.

Activité 4.2.3

A

Les cinq phrases que nous avons identifiées sont :

1   La moitié des Français n'ont jamais pris l'avion.

2   Deux tiers (de vols en avion) se font pour des raisons personnelles, par exemple dans le cadre de vacances.

3   Un noyau de Français prend l'avion pour des motifs professionnels.

4   Les compagnies « low cost » se développent rapidement en France.

5   Les Français disposent d'un réseau de trains à grande vitesse (TGV), qui fait une forte concurrence à l'avion.

B

Voici une paraphrase possible :

> Selon une enquête menée par la direction générale de l'Aviation civile, publiée en 2007, 50% des Français n'ont jamais pris l'avion. S'ils le font, c'est pour des raisons personnelles (le plus souvent pour prendre de lointaines

vacances). Une minorité se déplace assez fréquemment en avion pour des raisons professionnelles. Typiquement, ce sont des cadres parisiens ou franciliens. Ailleurs, les compagnies « low cost » s'implantent un peu partout dans le pays et attirent surtout les jeunes. En ce qui concerne les destinations françaises, elles sont fortement concurrencées par le réseau ferroviaire et notamment par le TGV.

Activité 4.2.4

A

- va expliquer (expliquer)
- va se passer (se passer)
- ressemblera (ressembler)
- volera (voler)
- fonctionneront (fonctionner)
- se seront épuisées (s'épuiser)
- fabriquera (fabriquer)
- aura mis (mettre)
- seront (être)

B

Verbes au futur proche	Verbes au futur simple	Verbes au futur antérieur
• va expliquer • va se passer	• ressemblera • volera • fonctionneront • fabriquera • seront	• se seront épuisées • aura mis

Activité 4.2.5

A

1   fabriquera
2   devront
3   seront
4   aura
5   aboutiront

B

1   vont travailler
2   va lancer
3   va construire
4   va falloir
5   vont chercher

C

1   auront disparu
2   aura atterri
3   auront été
4   se seront calmés
5   sera arrivé

Activité 4.2.6

A

1   profiterons
2   auras
3   opterai
4   iront
5   diminuera

B

1 recevra

2 pourrez

3 aurai

4 sera

5 s'arrêtera

C

1 Quand la pluie **aura cessé**, nous en **profiterons** pour faire une randonnée.

2 Une fois qu'on **aura construit** le nouvel aéroport, tu **pourras** voyager plus facilement.

3 Quand l'essence **sera devenue** trop chère, j'**opterai** pour le vélo.

4 On **pourra** passer chez Maud ce soir si tu veux, mais à mon avis elle **sera partie** avant qu'on arrive.

5 Dès qu'on **aura interdit** l'usage des voitures, la pollution atmosphérique **diminuera**.

Activité 4.2.7

A

Voici ce que vous auriez pu écrire :

> Si jamais on interdit les voyages aériens pour protéger la planète, ce sera la catastrophe pour l'économie mondiale. Une telle éventualité est donc peu probable. Pourtant c'est sûr qu'ils coûteront beaucoup plus cher et seront bien moins fréquents dans l'avenir. Il deviendra moins acceptable de voyager pour son simple plaisir. Les grands aéroports que nous connaissons aujourd'hui ne disparaîtront peut-être pas mais cesseront de se développer. Quand le trafic aérien aura diminué de façon significative, les autoroutes seront à leur tour menacées. Les graves inquiétudes sur l'état de la couche d'ozone et la nécessité absolue de limiter les émissions de gaz à effet de serre conduiront très probablement à la promulgation de lois réduisant le trafic routier au minimum. Les voitures seront abandonnées au profit des trains et des cars, et les constructeurs feront faillite. Quand les camions ne sillonneront plus les routes, les canaux reprendront du service. D'ici 2050 le transport du bétail et des biens de consommation d'une région à une autre et d'un pays à un autre auront disparu. Les petits marchés locaux reprendront leur place au centre de la vie quotidienne et nous découvrirons des coins du pays où nous n'avions jamais mis les pieds. Les industriels du tourisme devront se reconvertir mais nous respirerons un air à nouveau pur. Je rêve : crois-tu vraiment que tout cela arrivera un jour ?

Activité 4.2.8

A

Les marques du discours indirect dans ce texte sont :

- Mme Garcin... dit que...
- Elle affirme que...
- À son avis...
- Elle a pu constater...
- Elle ajoute que...
- Elle confirme qu'...

B

Voici les paroles de Mme Garcin :

La population de Banville a été particulièrement sensibilisée par la modification des trajectoires d'approche et d'atterrissage de certaines compagnies desservant l'aéroport de Banville-les-Prés. Les changements de procédures ont en effet créé une véritable polémique parmi les habitants, avec la création d'associations de riverains. À mon avis, ceci a engendré une augmentation du nombre de nouveaux plaignants. Une fois toutes les plaintes contre les nuisances sonores comptabilisées, j'ai pu constater une forte hausse du mécontentement. La réglementation actuelle ne permet de notifier des infractions qu'aux compagnies qui ne respectent pas les restrictions d'exploitation convenues. En ce qui concerne les trajectoires aériennes, en effet aucune amende n'est possible.

Activité 4.2.9

Voici un rapport du discours de M Bussereau. Les modifications nécessitées par le passage au discours indirect sont en caractères gras.

Le secrétaire d'État affirme qu'au terme des tables rondes du Grenelle de l'environnement, Jean-Louis Borloo, Nathalie Kosciusko-Morizet et **lui-même ont signé** avec les acteurs du transport aérien la première convention récapitulant les engagements pris de part et d'autre, avec trois objectifs : la réduction des émissions de CO_2 ; celle des émissions d'oxydes d'azote ; la lutte contre les nuisances sonores. **Il déclare que** cette convention porte en particulier sur l'amélioration de la performance environnementale des aéroports. **Il se réjouit** de constater que l'UAF et plusieurs aéroports ont déjà réagi, manifestant leur volonté de participer à **la politique** de développement durable **du ministère. Il explique que** cette convention traite notamment de l'insonorisation des logements des riverains d'aéroports **et que** l'objectif **est** de mieux satisfaire les demandes des riverains les plus exposés.

Activité 4.2.10

1   Vrai.

2   Vrai.

3   Vrai.

4   Faux. (Il aura deux pistes)

5   Faux. (Il sera desservi par les transports collectifs)

6   Faux. (L'observatoire est un groupe de travail qui s'assure que les constructeurs du nouvel aéroport adhèrent aux engagements qu'ils ont pris à l'égard de l'environnement)

Activité 4.2.11

A

1–(c); 2–(d); 3–(b); 4–(e); 5–(a)

B

1   On construit un nouvel aéroport parce que le nombre de personnes qui veulent voyager en avion augmente.

2   Non, plusieurs associations s'opposent à ce projet.

3   On a promis aux riverains de l'aéroport actuel des fonds pour insonoriser leurs appartements. On se demande si la construction du nouvel aéroport va mener au gel des sommes attendues.

4   Le secteur aérien ne participe pas à la lutte contre le réchauffement climatique.

C

- C'est un projet destructeur de l'environnement.
- L'avion est un moyen de transport qui consomme énormément d'énergie.
- L'avion est une source de pollution importante.
- Les émissions de gaz à effet de serre dues aux transports aériens explosent.

D

Les expressions qui marquent les différentes étapes de l'argument sont :

- Ce projet est **avant tout**...
- On pourrait **ajouter à ceci que**...
- **Enfin, alors que**...
- ... **bien au contraire**
- ... **il reste à savoir si**...

Activité 4.2.12

Voici une version possible du briefing :

> Nous, les habitants de Langeais sommes résolument opposés au projet de construction d'un nouvel aéroport sur le territoire de notre commune. **Dans cette matière, il ne s'agit pas de** petites modifications de notre mode de vie. **Le véritable enjeu est** notre survie même. D'une part nous sommes menacés par l'expropriation, puisque, évidemment, la construction d'un aéroport va nécessiter l'achat de nombreuses propriétés par les autorités. D'autre part, **il est acquis que** les nuisances liées aux aéroports incluent la contamination des cours d'eau environnants par les hydrocarbures et d'autres produits toxiques. **Or**, nous sommes, pour la plupart des éleveurs

> d'animaux. **Autrement dit**, nous avons le choix entre un exil forcé et l'empoisonnement de nos bêtes.

> Nous ne sommes pas les seuls concernés. **Quant aux** personnes âgées, qui sont nombreuses dans la commune, leur situation est encore pire. Beaucoup n'ont pas la possibilité de déménager. Une fois l'aéroport en service, elles seront exposées en permanence aux nuisances sonores qui accompagnent inévitablement ce genre de développement.

> **D'ailleurs**, ce n'est pas seulement le sort des êtres humains qui nous préoccupe. **Pour ce qui est** du patrimoine naturel, un tiers de la superficie de la commune est un site classé, en tant que station de migration pour de nombreux oiseaux rares d'Afrique qui y viennent chaque été construire leurs nids et élever leurs petits.

> **Pour conclure**, cette proposition d'aéroport est entièrement inadmissible. Nous exigeons donc que les autorités s'exercent à trouver un autre site moins désastreux pour l'écologie de la région et le bien-être de ses habitants.

Activité 4.2.13

A

Les trois phases mentionnées sont :

- 1e phase : construction des pistes, de la liaison avec le réseau ferroviaire et des terminaux
- 2e phase : extension des terminaux et renforcement de la sécurité
- 3e phase : construction d'une zone franche, d'une bretelle de voie ferrée et de complexes hôteliers et commerciaux

B

1 À partir du deuxième paragraphe, la source principale des informations dans ce texte semble être le chef du projet, M. Sibiri Zango.

2 L'auteur n'exprime aucun point de vue personnel. Il rapporte les propos de M. Zango.

3 On prévoit que le projet mènera à la création de 6 000 à 15 000 emplois.

Activité 4.2.14

A

- C'est un site classé qui renferme beaucoup de richesses écologiques.

- C'est un site qui constitue un échantillon important de l'écorégion des mangroves.

- Le site représente une station importante de migration et d'hivernage zoologique.

B

Voici ce que vous auriez pu écrire :

> Le premier texte présente les avantages économiques qu'offre la construction d'un aéroport. Il présente des faits pour défendre le projet. Le deuxième texte est plus préoccupé par la menace à l'environnement que représente le projet de construction d'un nouvel aéroport. Il rassemble des arguments contre un tel projet.

Activité 4.2.15

Voici ce que vous auriez pu écrire :

> Notre époque est caractérisée par une extrême mobilité : les gens ont pris l'habitude de voyager. L'avenir des transports aériens ne laisse donc personne indifférent. Le développement rapide des transports aériens ces dernières années, et la réduction importante de leur coût, ont permis une mobilité accrue des populations. Ceux qui vivent sur des îles peuvent maintenant sortir de chez eux plus facilement qu'autrefois et profiter des week-ends pour partir. Les familles rendent maintenant visite à leurs parents éloignés. Les séjours à l'étranger permettent l'apprentissage des langues et la découverte des autres cultures. L'import-export a explosé, le commerce est devenu mondial et la libre circulation des biens a réduit les prix tout en offrant une plus grande variété de fruits et légumes et d'articles de toutes sortes. L'industrie hôtelière et l'industrie du tourisme profitent de cette manne de clients venus de partout pour les week-ends ou les vacances.
>
> Les gens sont cependant de plus en plus préoccupés par la nécessité de protéger l'environnement contre les dégâts causés par les transports aériens et les textes étudiés nous montrent que ces préoccupations sont largement partagées, quel que soit le pays. La construction et l'agrandissement des aéroports amènent la construction de routes et d'autoroutes toujours plus nombreuses et grignotent les espaces verts. Les transports aériens menacent la faune et la flore et polluent l'eau des rivières. Les riverains perdent leur logement ou le voient dévalué, ils sont dérangés par le bruit des moteurs d'avion. Il est enfin prouvé qu'en cas d'accident, les zones urbaines en bordure des aéroports peuvent être gravement touchées. Prendre l'avion, c'est aussi risquer de passer des heures dans les aéroports et peut-être perdre ses bagages ! La tentation de l'avion fait parfois oublier qu'il y a aussi de beaux

paysages près de chez soi, et que le pays offre des vacances moins chères et tout aussi reposantes.

Session 3

Activité 4.3.1

Voici ce que vous auriez pu écrire :

> Personnellement, je préfère le métro. C'est un moyen de transport assez rapide qui n'est jamais affecté par les embouteillages. Bon marché, pratique et peu polluant, il est facile à utiliser pour aller d'un point à un autre quand on ne connait pas une ville. Cela évite même de se mouiller quand il pleut. J'aime aussi aller à vélo quand il ne pleut pas : c'est un bon exercice et le petit vent produit par la vitesse est agréable. Mais on n'a pas toujours le choix.

Activité 4.3.2

A

Les définitions 2 et 3 sont correctes.

B

Le covoiturage permet de diminuer :

- les frais de voiture (essence, usure de la voiture...)
- le nombre de voitures sur les routes
- la pollution et l'émission des gaz à effet de serre
- la consommation d'énergie non renouvelable (pétrole)
- les embouteillages et autres ralentissements aux entrées des villes
- les problèmes de stationnement

Le covoiturage est également une occasion de rencontre et de convivialité.

C

Voici des inconvénients possibles :

- Manque de flexibilité (il faut se rendre régulièrement au même endroit aux mêmes heures)
- Manque de liberté (dépendre d'une autre personne)
- Manière de conduire du conducteur (vitesse ou distance de sécurité adoptée)
- Nécessité de supporter les habitudes de chacun (fumée de cigarette, station de radio)

D

Voici une réponse possible :

> Je reconnais les nombreux avantages du covoiturage : l'économie d'essence, la diminution du nombre de voitures sur les routes et des émissions de gaz à effet de serre, le partage du stress dû à la conduite et le plaisir d'avoir quelqu'un avec qui parler en route. Mais pour jouir des bénéfices de ce moyen de transport, il faut se rendre régulièrement au même endroit et trouver une personne faisant à peu près le même trajet aux mêmes heures. Personnellement j'aime ma liberté et comme mes horaires de travail sont flexibles, je préfère ne pas m'engager à partir à heures fixes. De plus, la manière de conduire du conducteur peut être plus ou moins facile à supporter. Par exemple, la vitesse ou la distance de sécurité adoptée peut ne pas convenir. On est aussi obligés de supporter les habitudes de chacun, par exemple, la fumée de cigarette ou la station de radio bruyante ! J'ai abandonné ma voiture pour les transports publics et je me déplace en car ou en train selon les distances à parcourir. Comme il n'y a pas de centre commercial à l'endroit où j'habite, je dois de toute

façon avoir une carte d'autobus pour pouvoir être mobile. Il se peut que j'en vienne à adopter un jour le covoiturage, mais ce n'est pas pour demain !

Activité 4.3.3

A

2   Le pousse-pousse.

B

Voici une réponse possible :

> Le cyclopolitain est un moyen de transport très écologique et les habitants de Lyon se réjouissent sans doute de l'impact positif qu'il a sur le niveau de pollution de leur ville. Aussi, c'est un moyen de transport encore hors du commun qui peut faire sourire les passants, peu habitués à l'originalité de son apparence. Enfin, le titre du texte est peut-être aussi un clin d'œil au Vietnam – qui veut dire « pays du sourire » – car le pousse-pousse y a longtemps été un moyen de transport très répandu et très populaire.

Activité 4.3.4

A

1   un nouveau moyen de transport

2   un tricycle

3   trois personnes

4   le toit du Cyclo

5   les chauffeurs de Cyclo

B

C'est le pronom « qui ». Dans les phrases données, il est précédé par la préposition « à » : « à qui ».

Activité 4.3.5

1   auquel

2   sous lesquels

3   à laquelle

4   de laquelle

5   duquel

Activité 4.3.6

A

Voici ce que vous auriez pu écrire :

1   Les poubelles sont une nécessité : elles font partie du paysage et permettent de garder la rue propre tout en assurant la sécurité des passants.

2   Les chiens sont très nombreux en France. Il faut bien qu'ils aient aussi leur place dans la ville.

3   Le ramassage des déchets verts est à mon avis une excellente manière d'enrichir nos composts.

B

Voici des synonymes possibles :

- détritus
- ordures
- rebuts
- saletés
- immondices

Activité 4.3.7

A

Voici des notes sur le style du blog :

- phrases négatives incomplètes

    il a dit que ça (**ne**) le dérangeait pas

    on est assis tranquillos derrière lui, à (**ne**) rien faire

- exclamations/interjections

    Ouah... ; **Bon**, au début... ; La honte !

- exagérations

    c'est **trop génial**

    un mec qui pédale **comme un fou**

Voici des notes sur le vocabulaire :

- utilisation de « on »

    on est allés ; **on** a essayé ; **on** lui a demandé

- mots familiers ou argotiques

    des **potes** ; ce **truc** ; un **mec** ; **cool-Raoul** ; on s'est bien **éclatés**

- mots en verlan (syllabes inversées)

    zarbi

B

Voici une réponse possible :

> Nous sommes allés à Lyon avec des amis ce week-end et nous avons essayé le nouveau Cyclo... c'est vraiment très bien, cet engin ! Au début cela fait un peu bizarre de se faire transporter à vélo par un homme qui pédale vigoureusement pendant que l'on est assis tranquillement derrière lui, à ne rien faire... Quelle honte ! Mais on lui a demandé si cela ne le dérangeait pas et il a dit que non, que ça lui musclait les jambes et qu'il aimait bien rencontrer beaucoup de gens nouveaux de cette manière... Finalement, nous nous sommes bien amusés et en plus nous nous sommes fait un nouvel ami !

Activité 4.3.8

A

1–(e); 2–(d); 3–(b); 4–(c); 5–(a)

B

Voici des réponses possibles :

1   Le mobilier laissé dehors est ramassé dans la matinée.

2   À force de rouler, j'ai abîmé ma voiture.

3   Le tram est rapide, très beau, et vraiment très agréable. Comme il ne fait pas de bruit, il va falloir faire attention quand il arrive !

4   Tous ces mensonges sur l'écologie, on en a assez !

Activité 4.3.9

A

Les habitants ont constaté que leur quartier est très sale. Comme il n'y aura pas de nettoyage supplémentaire à cause de questions de budget, ils ont décidé de s'organiser et ont produit une affiche de conseils (et menaces !).

B

- réagissez (réagir)
- ramassez (ramasser)
- mettez (mettre)
- faites (faire)
- abordez (aborder)
- justifiez (justifier)
- faites
- relevez (relever)
- téléphonez (téléphoner)
- contactez (contacter)

C

Voici ce que vous auriez pu écrire :

POLLUEURS !

Sachez que la pollution sur la voie publique est passible d'amende ! 150 euros par action de pollution. Vous pouvez être pris sur le fait et dénoncés. Alors s'il vous plait, pensez aux autres et respectez les trottoirs !!! Ne jetez rien sur la voie publique, ramassez les déjections de vos chiens, ou au moins faites leur faire dans les canisettes ou (au pire) dans le caniveau.

Pour vos encombrants, ne déposez pas vos déchets au hasard : prenez rendez-vous avec le service propreté : ils viendront les ramasser dans les plus brefs délais.

Voitures épaves : nous vous rappelons qu'il est interdit de stationner plus de 7 jours d'affilée. Si tel est le cas, vous prenez le risque que les riverains appellent la police municipale qui enverra votre véhicule à la fourrière.

Activité 4.3.10

A

- déchets
- ordures
- boue
- matières putrescibles

B

Les deux progrès qui font toujours partie du quotidien sont :

- le ramassage des ordures (en 1506)
- l'invention de la poubelle (en 1883)

C

Les trois phrases décrivent des événements passés mais pourtant, les verbes de ces phrases sont tous au présent.

Activité 4.3.11

1   En 1750, Rousseau **a quitté** la Capitale une bonne fois pour toutes en la saluant par un « Adieu, ville de boue ! ». (action passée, ponctuelle)

2   À l'époque, une ordonnance de police **imposait** aux propriétaires et locataires parisiens de balayer chaque jour devant leur logis. (description au passé d'une situation qui a duré dans le temps)

3   En 1184, Philippe Auguste **a souhaité/ souhaitait** lutter contre la marée montante des ordures dans Paris en commandant le pavage des rues de la cité. (ici, les deux temps sont possibles mais produisent un effet différent : le passé composé met en avant la décision ponctuelle de Philippe Auguste de paver les rue de la capitale, tandis que l'imparfait met l'accent sur la description de son état d'esprit, qui a perduré pendant quelques temps)

Activité 4.3.12

A

Voici une liste possible :

- les métaux en général et l'aluminium en particulier
- le verre
- le papier
- le carton
- le liège
- le caoutchouc
- les tissus
- le bois, les petites branches
- certains plastiques
- les boîtes d'œufs
- les chaussures
- les vêtements
- les téléphones portables
- les ordinateurs
- les cartouches d'imprimante

Activité 4.3.13

A

Voici une réponse possible :

> J'ai beaucoup de mal à accepter de ne pas tirer la chasse. Par contre, j'économise soigneusement l'eau pour tout le reste : j'évite de laisser le robinet ouvert, je prends un verre pour me laver les dents, je ne remplis jamais ma bouilloire, je me douche au lieu de prendre un bain. Il me reste à récupérer l'eau de pluie pour pouvoir arroser mon jardin en été ! J'ai pris l'habitude de recycler au maximum, parce que tout le monde le fait autour de moi : je recycle le papier des cadeaux, les vieux journaux ; chez nous, le vieux linge devient serpillère ; les épluchures alimentent le compost du jardin. J'ai horreur de jeter ce qui peut être réutilisé. Les pièces de mon ordinateur ont été recyclées. Quant aux cartes de vœux en papier, je n'en envoie qu'un minimum : je préfère les vœux électroniques qui conservent les arbres. Nous trions soigneusement nos déchets et nous utilisons des sacs et des boîtes de différentes couleurs pour le ramassage hebdomadaire des ordures ménagères.

B

1 **Choisissons** des sacs réutilisables pour faire **nos** courses.

2 **Fabrique** du compost avec **tes** épluchures de fruits et légumes.

3 **Économisez** l'eau en contrôlant l'usage de **votre** chasse d'eau.

4 **Achetons** plutôt des produits régionaux, de saison, s'il y a le choix.

5 **Utilise** du papier recyclé pour écrire **tes** lettres ou emballer **tes** objets.

6 **Réduisez votre** consommation de lessives et de détergents.

Activité 4.3.14

A

1 C'est un filet à provisions qui sert à remplacer les sacs plastiques distribués dans les grandes surfaces.

2 Il a une durée de vie de plusieurs années ; il est 100% coton et ne tient pas de place dans une poche, dans le sac à main ou dans le rangement d'un véhicule ; il est disponible en plusieurs couleurs ; il est bon marché.

3 On peut l'acheter en ligne ou par correspondance.

B

Voici une réponse possible :

> Oubliés, les sacs plastiques qui envahissaient la maison ! Vous ne vous séparerez plus de votre écosac. Fabriqué en toile de jute, une matière naturelle renouvelable, il est solide, et le poids de vos achats ne lui fait pas peur. Il passera sans problèmes à la machine à laver, qui lui gardera sa fraîcheur. Il ne tient pas de place et vous pourrez facilement le plier et le laisser dans votre sac à main ou dans le coffre de votre voiture en partant faire vos courses. Vous vous demandez comment l'obtenir ? Ne le cherchez pas dans les magasins : il est vendu en ligne ou par correspondance. Vous n'avez donc pas à vous déplacer pour vous le procurer. En plus, il est très bon marché. Il ne coûte que 4€. Vous voulez le voir avant de l'acheter pour mieux choisir sa couleur parmi tous les coloris disponibles ? En ligne, rien de plus facile. Alors, pourquoi vous en priver ?

Activité 4.3.15

A

Voici une réponse possible :

1 Modes de transports

   Utiliser des transports propres comme le tram, le vélo ou le cyclopolitain

   Utiliser les transports en commun ou le covoiturage

2 Recyclage et élimination des déchets

   Trier et recycler tout ce qui est recyclable

   Disposer des produits dangereux comme les piles dans des conteneurs prévus à cet effet

   Économiser les ressources naturelles non renouvelables

   Économiser l'eau

3 Hygiène publique

   Ne pas abandonner les vieilles voitures inutilisables sur la voie publique

   Faire appel aux services de la municipalité pour disposer des encombrants

   Ramasser les déjections et faire utiliser les canisettes à son chien

B

Voici une réponse possible :

Dans mon quartier, avant, les gens n'avaient pas l'air très préoccupés par l'environnement. Ils laissaient leurs vieux meubles dehors, espérant que quelqu'un viendrait les récupérer, les poubelles débordaient d'ordures et personne ne semblait prêter attention à ce qu'on mettait dedans. Puis, un beau jour, chaque résident a reçu une lettre de la mairie expliquant qu'on allait nous donner des conteneurs verts pour recycler le verre et le plastique et qu'un service de collecte d'objets encombrants serait mis gratuitement à notre disposition ; il suffirait d'appeler un numéro de téléphone pour que des employés de la voirie viennent nous débarrasser de choses comme les vieux frigos qui encombraient les rues. La mairie aussi nous informait qu'en échange, elle demandait à ses résidents qu'ils fassent preuve de civisme, et ne jettent plus n'importe quoi n'importe où, au risque de payer une amende. Il n'a pas fallu longtemps pour que les gens comprennent ; au bout de quelques semaines et de quelques amendes pour décharge illicite de déchets, les gens ont compris qu'il ne fallait plus traiter notre quartier comme si c'était un dépotoir. Les poubelles sont maintenant bien utilisées, il n'y a plus de canapé défoncé dans les rues, et les gens ont accepté qu'en fin de compte, la vie dans notre quartier est bien plus agréable comme ça. Je pense même que beaucoup sont soulagés qu'on fasse enfin quelque chose.

L'apparition du tram a aussi amélioré l'environnement. Mes voisins sont nombreux à le prendre, et laissent maintenant leur voiture au garage les jours de semaine. La rue a retrouvé son calme et l'air est de bien meilleure qualité. Moi, j'ai mon vélo, mais je prends aussi le tram pour aller faire mes courses au centre-ville.

La question est de savoir si ces efforts individuels et collectifs ont des chances de changer le sort de notre planète. À vrai dire, je suis assez pessimiste sur ce point. Pendant que je fais des économies d'eau, d'essence et d'électricité, les bureaux des immeubles voisins restent éclairés toute la nuit et dans tous les pays, le nombre de voitures se multiplie. J'ai tout de même décidé de continuer à faire les bons gestes en faveur de l'environnement, en espérant qu'un jour ou l'autre les autres m'imiteront.

Session 4

Activité 4.4.1

Voici ce que vous auriez pu écrire :

1   Les éoliennes sont de plus en plus nombreuses dans le paysage, que ce soit en France ou dans d'autres pays d'Europe. Curieusement, la construction de ces nouveaux moulins à vent attire les touristes.

2   Cette plage de sable est typique des côtes atlantiques : la mer est grise et le ciel pâle. Le littoral français s'étale sur plus de 1 700km et il est essentiel de le garder propre.

3   La canicule affecte aussi bien l'environnement (feux de forêt, sécheresse) que les gens. Il est cependant possible de limiter les dégâts grâce à une bonne information.

Activité 4.4.2

Voici ce que vous auriez pu écrire :

- **Les adjectifs** : petite, bleue, heureuse, vivante, gaie

- **Les verbes** : des enfants qui s'émerveillent, la mer doucement s'étire...

- **Les noms** : airs de paradis, cris d'enfant, mouette, voiles blanches, fête, bal, paix, rires, jeux...

B

Voici ce que vous auriez pu écrire :

1   Les répétitions insistent sur le caractère de la plage « petite, bleue, heureuse » et en même temps construisent une progression. « Une petite plage... » revient régulièrement dans le texte, tel le mouvement d'une vague, ce qui rappelle aussi la plage.

2   Les phrases incomplètes donnent l'impression d'une énumération. C'est une description par petite touche, comme une peinture impressionniste. Cela permet au lecteur de compléter la description selon son imagination.

3   L'usage de l'article « une » décrit une plage qui ressemble à toutes les autres et qui peut se trouver n'importe où. Le lecteur peut ainsi s'approprier la description et l'associer plus facilement à un paysage familier, un souvenir personnel.

C

Voici une réponse possible :

> Une petite maison en Provence
> Pleine de couleurs et de lumière
> Une petite maison en Provence
> Et des amis qui boivent de la bière
> Une petite maison en Provence
> Trinquant et riant sous la verrière
> Une petite maison en Provence
> Aux airs d'un refuge de pierre...

Activité 4.4.3

A

1   Vous y avez jeté vos déchets d'uranium

2   Les pétroliers barbares viennent y verser leur encre noire

3   Vous avez tué [...] tellement de baleines et d'aigles marins

B

« Une petite plage »	« Le testament de l'océan »
Heureuse, vivante et gaie	La mer écrit son testament
La mer doucement s'étire	Elle ferme les yeux

C

Voici ce que vous auriez pu écrire :

1   Dans la première chanson, les mots évoquent la vie, le bonheur, la famille, les vacances alors que dans la deuxième, il y a beaucoup de référence à la mort ou au désespoir comme « testament, la vie s'achève, vous avez tué, larmes, ferme les yeux... ».

2   Les couleurs jouent un rôle important dans ces deux textes. Alors que la description de la petite plage est en couleurs « bleue, blanc », et pleine de lumière « sous le soleil », l'océan de la deuxième chanson est décrit en noir et blanc. Même sa couleur argent a une connotation négative « trop d'éclats d'argent ».

3   La première chanson évoque le calme et le bonheur alors que la seconde chanson au contraire évoque la pollution et la dégradation de l'océan. Personnellement, je préfère la première chanson car je suis de nature optimiste !

Activité 4.4.4

A

1–(d); 2–(c); 3–(b); 4–(a)

B

1–(d); 2–(a); 3–(b); 4–(c)

Activité 4.4.5

1   Vrai.

2   Faux. (C'est « strictement interdit »)

3   Vrai.

4   Faux. (L'État participe au financement du projet de station d'épuration à raison de 30% en 2007, et cette participation diminuera de 5% par an ensuite.)

Activité 4.4.6

A

1   Je **n'ai pas retrouvé** hier le chemin par lequel nous **étions venus** en arrivant.

2   Il **avait terminé** son travail depuis longtemps quand il **est parti** acheter le journal.

3   Je vous **avais donné** les clefs de l'Antarctique et vous **avez tué** les chants de Moby Dick.

4   Roquebrune-Cap-Martin, qui jusque-là **avait rejeté** ses égouts dans la mer, **a décidé** le mois dernier de construire sa propre station d'épuration.

5   Quand la nouvelle loi **est entrée en vigueur**, les producteurs **avaient** déjà **commencé** la collecte des piles depuis longtemps.

6   Cette commune **a construit** sa propre station d'épuration, parce que le conseil régional **n'avait** toujours **pas pris** de décisions à la dernière réunion.

Activité 4.4.7

A

Il s'agit d'un ordre. L'ordre est exprimé par un nom suivi d'un verbe à l'infinitif.

B

Voici des phrases possibles :

1 Défense d'entrer

2 Défense de stationner

3 Défense de tourner à droite

Activité 4.4.8

1 Interdiction de déposer les ordures sur la plage

2 Ne jetez rien sur la plage

3 Ne rien jeter sur la plage

Activité 4.4.9

1 Il symbolise une qualité environnementale exemplaire, en ce qui concerne les destinations de vacances.

2 Il récompense les communes et les ports de plaisance qui mènent une politique de recherche et d'application durable en faveur d'un environnement de qualité.

3 (a) Il véhicule une image positive dynamique auprès des résidents comme des visiteurs.

   (b) Il favorise aussi une prise de conscience générale envers un comportement plus respectueux de la nature et de ses richesses.

4 Il est actuellement présent dans 37 pays du monde entier.

B

Voici ce que vous auriez pu écrire :

> Le Pavillon Bleu « est un label à forte connotation touristique ». Il symbolise la qualité en matière d'environnement. Pour l'obtenir les communes et les ports de plaisance doivent prendre en compte la protection de l'environnement dans leur politique de développement économique et touristique. Selon des études récentes, ce label est de plus en plus important dans le choix des destinations de vacances, pour les touristes européens, par exemple.
>
> Ainsi, les communes qui obtiennent le Pavillon Bleu attirent plus de visiteurs et de touristes que celles qui ne l'obtiennent pas. On peut conclure qu'un meilleur respect de l'environnement permet d'avoir un impact positif sur le tourisme. Comme le tourisme constitue une part importante de l'économie locale, une bonne santé en matière de tourisme a forcément des répercussions positives en matière d'économie, particulièrement pour les communes situées en bord de mer.

Activité 4.4.10

1–(b); 2–(e); 3–(f); 4–(c); 5–(d); 6–(a)

Activité 4.4.11

A

Voici le texte original :

Automobiles : premier bilan

Six mois après son lancement, le bonus-malus sur l'achat d'automobiles **neuves** a bel et **bien** favorisé les acquisitions de véhicules **moins** polluants. Un ultime sursaut d'achat de voitures **très polluantes** a toutefois été constaté avant la mise en place effective du bonus. Depuis, les ventes de modèles sobres ont **augmenté** de 45% et celles des véhicules les plus **gourmands** ont **baissé** de 40%. Les 4x4 et les monospaces ont particulièrement fait les frais de la mesure, qualifiée d'« électrochoc » par le ministre de l'Ecologie, Jean-Louis Borloo.

B

Voici ce que vous auriez pu écrire :

> Le bonus-malus a favorisé l'achat de véhicules neufs moins polluants. La vente de voitures plus écologiques a augmenté de 45% tandis que la vente de voitures polluantes telles que les 4x4 et les monoplaces a diminué de 40%, après avoir vu leurs ventes augmenter juste avant la mise en place de la taxe.

C

Groupe 1 « lutter contre les changements climatiques et maîtriser la demande d'énergie ».

Activité 4.4.12

A

Arguments en faveur de l'énergie éolienne	Arguments contre l'énergie éolienne
1, 4, 5, 7, 10, 11	2, 3, 6, 8, 9, 12

B

(a) 1, 2, 4

(b) 6, 9

(c) 10, 11

(d) 5, 8, 12

(e) 3, 7

C

1 Dans la première phrase, l'action « aura compris » précède dans le temps l'action des verbes « cessera » et « arrêtera ».

2 Dans la deuxième phrase l'action « aurons installé » précède dans le temps l'action des verbes « aurons » et « visiteront ».

Activité 4.4.13

1 Quand l'énergie solaire **aura remplacé** le pétrole, la couche d'ozone **sera** sûrement en meilleur état !

2 Lorsque nous **aurons diminué** nos émissions de gaz à effet de serre, le réchauffement climatique **ralentira** peut-être sa progression.

3 Dès que vous **aurez signé** la pétition nous **pourrons** la déposer à la mairie.

Activité 4.4.14

A

1 Des associations de riverains ou de défense des paysages, des élus surtout de droite (par exemple, l'ancien président Valéry Giscard d'Estaing).

2 Elle se situe du côté des opposants à l'éolien industriel.

3 L'énergie nucléaire.

4 En démarrant plus tard que les allemands ou les espagnols, on installe des machines beaucoup plus performantes.

5 C'est l'argument esthétique : l'assertion que les éoliennes défigurent les paysages. L'opinion est partagée là-dessus.

6 Non, on ne sauvera pas le climat en se contentant d'en planter partout.

B

Les arguments avancés précisément par l'accusation, contre les éoliennes, sont 4 et 8.

Voici ce que vous auriez pu écrire :

Encouragée par les recommandations du Grenelle Environnement et par les directives européennes, la France développe ses ressources en énergies renouvelables. Parmi ces énergies, le développement de l'éolien suscite à l'heure actuelle un grand débat qui oppose les associations de riverains et les défenseurs des paysages aux associations écologistes et à l'État. Parmi tous les arguments avancés, c'est sans doute le critère esthétique qui parait le plus subjectif mais aussi le plus passionné. Il relance la polémique et suscite des prises de positions extrêmes. Pour les uns, les éoliennes sont de véritables œuvres d'art contemporain qui s'intègrent assez bien au paysage. Pour les autres, elles défigurent totalement le paysage et se propagent de manière anarchique. Personnellement, je ne suis convaincu(e) ni par les uns ni par les autres, même si l'esthétique de ces immenses moulins ne me laisse pas totalement indifférent(e). Mis à part l'aspect esthétique, d'autres arguments méritent qu'on réfléchisse plus en détails aux conséquences du développement de l'éolien. Par exemple, en ce qui concerne la qualité de la vie, certains ont fait remarquer que les éoliennes sont trop bruyantes et qu'elles sont à l'origine de problèmes de réception des émissions de télé. D'autres au contraire déclarent ne pas souffrir du bruit créé par les pales des hélices. Dans ce domaine, il serait intéressant de mener des recherches plus détaillées sur l'impact des parcs éoliens sur la santé publique, par exemple, en ce qui concerne l'émission d'infra-sons à proximité des éoliennes. Cet argument-là me semble avoir plus de poids car il implique des conséquences possibles à grande échelle, à moyen et long terme. Sur le plan économique, les positions sont aussi partagées. Certains maintiennent que les parcs éoliens ne créent pas beaucoup d'emplois. Par contre, beaucoup semblent reconnaître que les parcs éoliens ont un effet plutôt bénéfique sur le tourisme et donc sur le commerce local. C'est un argument facilement vérifiable. L'autre question qui alimente le débat est celle de sa rentabilité. Le vent est une source d'énergie renouvelable mais pas toujours disponible ou exploitable : s'il n'y a pas assez de vent, les hélices des éoliennes ne peuvent pas fonctionner et s'il y en a trop, ça ne marche pas non plus ! Certains pensent qu'un parc éolien occupe beaucoup d'espace pour peu de résultats. Reste à considérer le réel impact de ces parcs éoliens sur l'environnement. Si l'on prend en compte toutes les ressources nécessaires pour fabriquer un champ d'éoliennes, peut-on affirmer que l'éolien produit moins de gaz à effet de serre que d'autres sources d'énergie plus traditionnelles ? Le calcul reste sans doute à faire. Enfin, en ce qui concerne la protection de la faune, ces immenses moulins constituent-ils oui ou non un réel danger pour l'avenir des oiseaux migrateurs ? En attendant que l'on apporte des réponses plus précises à toutes ces questions, l'éolien industriel gagne du terrain et enrichit surtout ses constructeurs et ses promoteurs !

Acknowledgements

Grateful acknowledgement is made to the following sources for permission to reproduce material in this book:

Text

Page 11: Centre Permanent d'Initiatives pour l'Environnement Vercors, 'Vercors Initiation Environnement', 2008, CPIE Vercors http://www.parc-du-vercors.fr; *pages 15–16*: Girard, L., 'Loupastres – Des bénévoles pour les bergers et les loups', 2008, www.apasdeloup.org; *pages 16–17*: Girard, L., 'Protection du tétras-lyre et entretien d'un ruisseau dans le Vercors', 2005, www.apasdeloup.org; *page 37*: Ministère de l'Écologie, de l'Energie, du Développement durable et de l'Aménagement du territoire, 'Feu vert pour l'aéroport Grand Ouest Notre Dame des Landes', 2008, www.developpement-durable.gouv.fr; *page 38*: Belvoit, A., 'Le projet de nouvel aéroport à Nantes fait débat', 2008, www.univers-nature.com; *page 53*: Association La Petite Garenne, 'Propreté : Protégeons notre environnement !', 2006, found on http://lapetitegarenne.free.fr, submitted by Camille Vadon, présidente de l'association La Petite Garenne; *page 53*: Association La Petite Garenne, 'Pollués : Réagissez !', 2006, found on http://lapetitegarenne.free.fr, submitted by Camille Vadon; *page 62*: Barrière, A., 'Une petite plage', 1975, Warner Chappell Music & BMG; *pages 63–64*: Bachelet, P., and Lang, J.-P., 'Le testament de l'océan', 1991, Music Sales Ltd, RCA and Virgin; *pages 73–74*: Launay, G., 'L'éolien en procès', 2008, www.libération.fr, S.A.R.L. Libération.

Illustrations

Front cover: © Uolir | Dreamstime.com

Page 8 (top left): © Nicole McBride; *page 8 (bottom left)*: © Françoise Parent-Ugochukwu; *page 8 (bottom right)*: © J. M. Francillon; *page 9*: based on Philipendula, www.wikipedia.org, reproduced under the terms of the GNU Free Documentation License, Version 1.2, www.gnu.org; *page 17*: © Françoise Parent-Ugochukwu; *page 22*: © Christine Sadler; *page 23*: © Nicole McBride; *page 24*: © Françoise Parent-Ugochukwu; *page 29*: © Nigel Pettengell; *page 34*: © Hélène Pulker; *page 42*: based on map illustration 'L'Afrique et le moyen-orient' in Grandmangin, M., Civilisation Progressive de la Francophonie, 2003, CLE International; *page 44*: © Françoise Parent-Ugochukwu; *page 45 (top and centre)*: © Xavière Hassan; *page 45 (bottom)*: © Françoise Parent-Ugochukwu; *page 47 (top)*: © Hans Martens / iStockphoto; *page 47 (centre)*: © iStockphoto; *page 47 (bottom)*: © Eric Hood / iStockphoto; *page 49*: © Christine Strover / Alamy; *page 50 (left, top and bottom right)*: © Françoise Parent-Ugochukwu; *page 54*: © Françoise Parent-Ugochukwu; *page 56 (bottom)*: © Françoise Parent-Ugochukwu; *page 57 (top)*: © Françoise Parent-Ugochukwu; *page 61*: © Xavière Hassan; *page 62 (top)*: © Pete Smith; *page 62 (centre)*: © Françoise Parent-Ugochukwu; *page 63*: © Xavière Hassan; *page 64*: © Tammy Peluso / iStockphoto; *page 67*: © Françoise Parent-Ugochukwu; *page 69*: © Hélène Pulker; *page 72*: © Xavière Hassan.

Every effort has been made to contact copyright holders. If any have been inadvertently overlooked, the publishers will be pleased to make the necessary arrangements at the first opportunity.